校園激情

葉于模著

文學叢刊
文史哲出版社印行

國家圖書館出版品預行編目資料

校園激情 / 葉于模著.-- 初版 -- 臺北市：文史哲,民 108.10
頁； 公分（文學叢刊；412）
ISBN 978-986-314-492-2（平裝）

863.57　　108017305

文 學 叢 刊　412

校 園 激 情

著　者：葉　于　模
出版者：文　史　哲　出　版　社
http:// www.lapen.com.tw
e-mail：lapen@ms74.hinet.net
登記證字號：行政院新聞局版臺業字五三三七號
發行人：彭　正　雄
發行所：文　史　哲　出　版　社
印刷者：文　史　哲　出　版　社
臺北市羅斯福路一段七十二巷四號
郵政劃撥帳號：一六一八〇一七五
電話886-2-23511028 · 傳真886-2-23965656

定價新臺幣三六〇元

民國一〇八年（2019）十月初版

ISBN 978-986-314-492-2　　10412

坦誠的告白(自　序)

我出書將近三十本，這是唯一的一部長篇小說，因此特別偏愛與珍惜，有如一位晚年得子的父親，對他有著一份超乎尋常的情感。

校園光明面很多，陰暗面也不少，國人喜歡報喜不報憂，生怕替社會帶來負面殺傷力，殊不知粉飾太平，不但無助於良性改革，而且徒然擴大傷害的裂痕，想想看，病人若隱匿病情，醫學再高明，科技再精良，恐怕也無法根治病患垂危的禍源。

國外校園經常發生震撼性槍擊案，由於槍支管制和防堵措施做得不夠周延，以致慘案依然持續惡化；國內校園尚無瘋狂兇殺案，但零星的暴力血案卻為數不少，尤其霸凌案件層出不窮，使循規蹈矩的孩子，受到嚴重的心理威脅。我們不能坐視不顧，因噎廢食，必須勇敢面對現實，力求有所變革與因應策略。

記得早年有位作家說過，寫文章要有目標，那就是：「有真意，去粉飾；少做作，勿賣弄。」正如顧炎武所說：「文須有益於天下，有益於將來。」我寫這本書的動機，也是合乎這個原則，波斯流傳一句名言：「心地純潔的人敢說真話。」我自信心地很純潔，所以，要說自己想說的話，縱使有些話不中聽，但卻很管用。

我想寫這本小說，醞釀了幾十年，過去工作太多，也太忙，靜不下心，寫了幾頁，就放棄了，直到退休後，有較多空閒時間，才下定決心要把它完成。我以往寫的文章多是詩、散文、政論和勵志小品等短稿，所以，花的時間少，匆匆寫完就繳卷了，可是，寫長篇小說，難免廢寢忘食，早也思量，晚也思量，躺在床上還會想些細節問題，又急忙起床把他筆錄下來，對於一個上年紀的人，卻是一大煎熬和挑戰，難怪名作家張愛玲說，「出名要趁早」，仔細沉思，蠻富哲理。

這本書是以輕鬆筆調寫校園故事。希望能為社會留下一面鏡子，看到醜惡的人性，也看到美好的人生，讓上一代偏激僵化教育得以徹底清除，使師生與親子之間溝通管道能夠暢通無礙，激發年輕人愛他生命，更愛他仕途，想得純正，走得踏實，沒有退縮空間。

外國觀光客稱讚臺灣最美的是「人」我們應該引以為傲。所以，我們教養下一代亟須從真、善、美著手，培育年輕人，篤實、堅定、誠信的品性，不動歪腦筋，不做虧心事，培養校園優質風氣，增強學生求知慾，師長要立德立信，學生要守紀守份，大家都能相親相愛，互持互助，打開校園天窗，讓春風吹進來，讓校園灑滿陽光和雨露，像一個寧靜和諧的大家庭。

此刻正逢選舉熱季，政治人物都忙於奔走四方，尋求奧援，完全忘掉他們真正需要付出的心力和重任。最不可思議的，他們從來不信教，不聽教，現在為了政治需求，開始求神拜佛，廣結善緣，一副「不問蒼生『拜』鬼神」的模樣，煞是可愛。當今最熱門場所是寺廟，香火鼎盛，信眾沸騰，又有幾個在關心當前嚴重的教育問題？校園諸多疑難雜症都不能解決，一旦當上總統或民意代表，又如何向虔誠選民作合理交代，馬祖托夢，關公顯靈，騙得了良心，騙不了神明。

不少政治人物，沒有當選之前，人民都是他的「衣食父母」，當選之後卻變成他們的「兒孫」，他們在選前選後判若兩人，罔顧人民福祉，豈不愧對自己訴求和人格？我希望藉由這本書喚醒他們良知良能，多做一些有益世道人心的功德。

我認為祭拜神明是人類正常的心理趨向。是無可厚非的事情，但祭拜之後應該思慮更清晰，思維更明朗，思考更深遠，對於社會中重大教育問題，務須求出更縝密細膩的解套方案。

靠人不如靠己，年輕人應該吸取新知，堅定自己信念，偉人不斷更替，你也有機會成為一代菁英，就看你有沒有足夠鬥志和決心，校園激情，給你一個最好啟示，男主角龔少白跌倒了好幾次，最後他勇敢的站在世人面前，做一個頂天立地的大慈善家。看完這本書的朋友，但願有朝你也能找到圓滿的歸宿。

我們都有一個夢，那個夢必須是美好而圓滿的，沒有事情辦不通　，就怕我們毅力和信心不足，名滿天下的拳王阿里（Muhammad Ali）喜歡吹噓：「我不僅是最偉大的，而且是雙重最偉大的。」或許他吹過了頭，但因為信心滿滿，使他在世界尖端佔有一席之地。年輕人應該有他這種抱負，再謙卑一點，就有成功的或然性。校園正是培育優秀人才的場所，你也有出人頭地的機會，端看你能吸取多少能量和資源。

人生不會一帆風順的，跌得越多，爬的越勤，成功率越大。一個人要懂得愛世人，也愛自己，在校園裡要學習做人做事大道理，進入社會要做一個受人尊敬的牧羊人。人要時常提醒自己，風再大，雨再猛，信心要永不熄滅，世上的人太多，不可能人人都成為岸上風雲人物，只要你凡事盡了心力去面對橫逆的挑戰，你就不虛此生了。

長篇小說

校園激情

一

蒼茫的暮光慢慢在地平線隱沒，校園燈火依序大放光明，成群的少女魚貫地湧進每一層樓的教室，此刻，輕盈鐘聲正凌空盪漾，又是一個新學期開始。

龔少白，這位年輕的教授，在歐洲住過一陣子，混了一張三流大學文憑，又到美國喝些洋墨水，器宇軒昂，神采非凡，嘴角永遠輕浮著一絲神秘微笑，一雙瞇瞇眼，閃爍著男性罕有魅力。今晚，他挾著兩本洋文教科書，輕輕飄逸的走進三樓的教室，這班是清一色女生，突然爆起一片歡笑聲，他隱約聽到有女生偷偷讚嘆：「帥斃。」

他故作淡定，做了自我簡介，就隨機指點二個學生，進行師生交流、對話，他提綱擷領說明教學進度，隨即導入正題。他口若懸河，妙趣橫生，二個鐘頭很快過去，學生聽得津津有味，他講得意猶未盡，下課時，一大群女生圍著他問東問西，他窮於應付，逕自脫身而去，聽到後面有人在喊：「老師，老師。」他慢下腳步，回頭一看，跟在後頭是一個身材勁爆，面貌佼好的高佻女生，她柔情萬千的說：「老師，我有問題請教您，可以留一個電話給我嗎？」他遲疑一下，告訴了他家裡電話號碼。這兩堂課，是他「處女秀」，很有心得，更有得色，他自信教得活潑生動，會有熱烈迴響。

他剛脫去西裝上衣，電話鈴就響了，聽到對方說：「有些話，在電話不方便講，老師，我可以上您家向您討教嗎？」

他不假思索說出家中地址：「什麼時候來？」

「看老師方便，現在可以嗎？」

「現在？」看看腕錶已經九點過四分：「如果妳不覺晚，來吧！」

十時左右，管理員用對講機通知他：

「有位女訪客。」

「讓她上來。」

女孩子剛跨進門檻，他以迅雷不及掩耳絕技把她緊壓在白牆上，她還來不及反應，他的熱唇已貼近她的粉臉上，她欲拒還迎地緊抱著他，接著雙方就瘋狂擁吻起來，少白不失為情場老手，他解開少女上衣，用熱唇吻遍少女的眼睛、眉梢、鼻樑、耳心、雙腮、沿著脖子下滑，女孩經不起成熟男性狂野的挑逗，兩顆堅挺的奶頭，散發出灼熱的紅暈，像靈巧的小紅豆，在微風中微微抖動，此時，少白的掌心，猶如一根變化莫測的魔杖，在圓潤雙峰周邊，輕揉重搓，游移不停穿梭，少女全身酥軟，神態迷茫，整個人依偎在他的懷裡。

少白已經忘掉師長道德與尊嚴，他赤裸著上身，露出堅實胸肌，把她拉進臥房，當他們褪掉所有衣裳時候，一絲不掛的交纏在一起，女孩呼吸急促，發出歇斯底里的呻吟，楚楚嬌羞，半推半就掙扎。

「老師，不要這樣。」接著自白：「我好喜歡您，好喜歡——」

少白當作沒有聽見，繼續瘋狂的襲擊，他們彷如一根蜘蛛網懸吊半空中，搖曳著生命中迸發出的莊嚴進行曲，很有規律的展開迷惘的探索。

唯一遺憾的，少白發現她已經不是白璧無瑕的女孩，他用懷疑口吻問：

「妳跟誰有過關係？」

依亭別過頭，沒有正面回答，一時眼眶紅濕，縱有萬般苦楚也無從輕易啟口，她靜靜躺著，少白先行起身，用小毛氈蓋在她身上。夜晚，靜得叫人心慌，她傷心逾恆，萬處奔競，想起自己悲哀身世，想起不幸遭遇，想起病弱老母，想起禽獸不如的繼父，她從床上跳了起來，隨後又疲軟躺下。往事如潮水般湧上心頭，她恨母親，恨繼父，更恨自己。

原來，父親早逝，由寡母辛辛苦苦把她撫養成人，母親在一家紡紗工廠當女工，後來母親跟一個工頭同居，這個陌生人變成她的繼父，在她十五歲時候，就遭到繼父蹂躪，母親知道後，非常憤怒，就帶著她離開繼父的家。雖然她只被性侵一次，但已在心靈深處留下難以磨滅的斧鑿。少白一語拆穿她的瘡疤，她心痛如焚，事實就是事實，很難作任何辯解。少白何等機靈，沒有再問下去，坐在客廳長沙發上，少白遞上一杯香醇咖啡，避重就輕問道：「功課忙嗎？」

「還好。」她理了理長髮，四顧室內雅緻清新的佈置，知道是一個品味滿高的主人，不禁追問：「老師一個人住？」

「是的，我現在是單身貴族。」他不想隱瞞事實：「我離過一次婚。」

室內氣氛頓時凝結起來，她拿起茶几上兩人合照相框端詳一番：「這位就是師母？」

「沒錯，我們以前還有來往，三年前她已成了人妻，住在國外，只剩這張相片可供回憶。」少白大口喝光咖啡：「你叫什麼名字，我——」

「對，我好糊塗，我叫胡依亭。」

「依亭，來，參觀我的書房。」少白讓依亭看看他精心打造的小天地，房子不大，各種配備都很簡約，淡雅、高水準。依亭順手拿起桌上一本書，少白問道：「妳不是說，有問題——」

依亭一看時間不早，明早還要上班！

「你該休息了，改天再來請教。」在回家路上，她想了很多，儘管少白觸碰到她的隱痛，但跟老師溫存的片刻，仍是彌足珍貴的甜蜜。她想著想著，不禁雙頰微醺，輕快趕回家裡。

一進屋，就看到母親端坐椅上等她：

「怎麼這麼晚回來！」

「加班，今晚公司加班。」依亭不是愛說謊女孩，說謊也漏洞百出，母親是依亭肚裡迴蟲，提高嗓門質問：

「妳不是去上課？」

「課上完，才去加班。」

「別騙我。」母親苦口婆心提醒：「外面壞人多，女孩子容易上當，要小心。」

「媽，您快去睡！」

「我睡不著，我擔心妳！」

「我會照顧自己。」她走近母親身邊：「女兒長大了，懂得照顧自己。」

「就因為妳長大了，我才擔心！」

母親又觸痛她的心，她一邊拭淚，一邊向母親道晚安。

第二天，第三天，第四天，她天天去探望少白，大廈管理員告訴她，龔先生忙，常有應酬，不在家。隨後又告訴她，龔先生出差去，最後對她說：

「來時候，最好先跟他約好。」

其實，她打過好幾通電話，家裡都沒人接，這時候適逢放假，的確不容易找到他，她已經猜透，少白可能在躲她，她很羞愧，也不甘心，平白一再受到男人霸凌玩弄，她能有什麼反抗力量，沒有，什麼都沒有，少白是她老師，怎麼可以跟繼父一樣不負責任，她愈想愈氣，母親書讀不多，但真心真意愛她，少白是她真心真意想獨佔的男人，可是他不這麼想，他在逃避她，嫌棄她，她不甘心，不死心，要問個一清二楚。她決定再跟他碰一次面，於是，一清早就蹲在附近小巷內等他出來，果然少白出現了，她衝上前喊道：

「老師，您怎麼說不在？」

少白嚇了一跳，把她拉到巷口很委婉實話實說：「我是妳老師，這樣下去，一定出事。」

「我不怕。」

「妳不怕，我怕。」

「怕什麼？您是單身，我也是單身，可以公公開開交往。」

「不行，師生鬧緋聞，社會不允許。」

「少白」她親切喊他名字：

「只要你心甘，我情願，別人也管不著。」女人動了心，天不怕，地不怕，只怕男人是負心漢。少白是披著羊皮的狼，她沒有想清楚，更沒有看清楚，天下烏鴉是一般的黑，英俊的男人，先天條件好，佔便宜，妳愛，她也愛，大家都愛，他分身乏術，唯一絕招，就是走為上策。

這時候，依亭由悲傷轉為憤怒，由軟弱變成慓悍：「你玩女人，不要像點火柴棒一樣，熄了一根再燃一根，夜路走多了，小心摔跤。」依亭到此看清了少白的真面目，他對女性手腕很高桿，被他玩弄的女性一定不在少數，她是微不足道的弱者，羊送虎口，還能怨誰？她接受命運安排，絕不向命運低頭，她期許自己要做一個永不屈服的女孩。

依亭是說到做到的女孩，她不願再受少白的奚落和羞辱，第二學期就插班到另一所大學去，以後很少有人再聽到她的名字，在茫茫人海中，她成了被遺忘的人。

少白玩世不恭態度，受到很多流言的傷害，他好像什麼都不在乎，他跟不少學生有過肌膚接觸，又跟一些女助教、女教授有著交代不清的曖昧，細數他的風流史，大概可以寫成一部厚厚的巨著。不過，傳聞畢竟是傳聞，大家都知道「謠言止於智者」，事不關己，無須太過認真。少白食髓知味，又是光桿一個，膽量越來越大，穢聞愈變愈多，他書教得好，人長得帥，嫉妒他的人很多，樹敵太多的人，終究會惹火燒身的，他不知檢點，以為所有事情都會「船過水無痕」，豈知「凡走過的必留下痕跡」，該來的，總會來的，只是遲早問題罷了。

紀茜如是少白得意門生，性感，高佻，一臉聰明相，家世顯赫，背景雄厚，父親和兩個叔叔都位居要津，也是十足「少白迷」，少白有自知之明，不敢碰她，她總是想盡辦法接近少白，有意無意間讓少白看到她豐滿胴體的吸引能量。有一次，她攔著少白車子懇求：

「教授，龔教授，我想搭一次便車。」她邊說邊拉開車門：「我要趕去參加一個朋友生日聚會。」

少白還不置可否，她已鑽進了車子：「老師，對不起，真對不起。」

「沒有關係，我送妳一程。」茜如像隻乖巧小白兔，交叉著雙手，不安說：「老師，我不想去，我們可以談談嗎？」

見過大風大浪的少白，反應何等敏銳，逕自往台北東區郊外駛去，車子停進一棟嶄新小別墅，這是他承租的小套房，房間小巧玲瓏，乳白色粉牆配著米黃色天花板，新穎精緻，典雅舒適，沙發半套，書桌上擺了幾本中文書籍，茜如隨手翻閱二頁，合上書本遲疑問：

「老師常來這裡，你不是住在新興街？」

「哦，妳把我打聽得這樣清楚。」他不作正面解釋，雙手一攤：「有時心煩，獨自來這兒冥想靜思，消磨時間，寫寫雜文。」

「好瀟灑，龔老師，你愛心理學，一定會看相。」茜如主動把右手伸到他面前，少白抓著她的手，還來不及分析，她的身體不斷向他移近，茜如比少白更機警，更理性，當雙方在最緊要關頭，嚴加拒絕，少白沒料到「名師出高徒」，冷了大半截，恢復平靜後，就匆匆送走茜如。

好幾天過後，他又遇見茜如，茜如又跑來搭便車，他們在小套房，茜如豐滿尖挺的雙峰，在半解半開的寬鬆襯衫內暴露在昏暗的燈火中，慢慢地，她蹬在少白的膝蓋邊，她拿著手機半認真半嫵媚撒嬌：

「老師，這按那個鈕？」

少白端視了一下手機，放下手機，癡癡望著她，她趁機靠得少白更近，少白輕輕撫著她的秀髮，嫩臂，臉頰，正想吻下去，她迅速把他推開，少白，知道魚兒已上勾，怎能平白放過，接著用力把她摟進懷裡，她掙扎，輕推，欲擒故縱，讓少白初嚐到少女萬種風情的滋味，少白沒有酒醉，已經心醉，停了片刻，把手縮回，這一招，是高招，茜如弄得混身滾燙，止不住奔放的狂野，撲進少白粗壯的臂彎中。

「你喜歡我嗎？老師，告訴我真心話。」

「喜歡，喜歡，真的好喜歡。」少白加強語氣稱讚：「這樣美姑娘，人見人愛，我——」

「壞死了。」茜如用手摀住他的口，心花怒放，極盡誘惑能事，逗得少白心猿意馬，失去自制能耐，他覺得這妞超美超嗆辣，夠刺激，茜如每一顆細胞繃得緊緊的，心跳得很厲害。經過這次曼妙的纏綿，他們算是無話不說的情人。少白摸不清楚茜如的路線，看她似如一個傻丫頭，其實她是一個鬼靈精，他馴服了這個桀傲不馴的美人，茜如也心甘情願的獻出了童貞。少白沒有料到，這次偷擷禁果，不祥夢魇已悄悄向他逼近。

少白有個壞習慣，得手東西就棄之如敝屣，對依亭如此，對茜如亦復如此，當他熱火消退時候，茜如正熱情燃燒，少白逐漸疏遠她，甚至不理她，她偷偷暴哭，恨透少白，她想報復，她要報復，她終於使出報復殺手鐧，明查暗訪受害的學姐學妹，組成「復仇大聯盟」，將暗地錄下少白甜言蜜語的調情帶子，以及不雅的個人裸照，經過專業友人的精心設計，全部分批寄發給有關機關學校和被霸凌性侵的女同學，立刻掀起驚濤駭浪的衝擊，少白還醉生夢死的過著快樂逍遙生活。

那是一個難忘的日子，那一個夜晚，學校通知他，蘇校長約他見面，他有一種不祥預感，進了校長室，他向校長深深一鞠躬，校長親自端一杯茶給他，面帶憂鬱地嘆息：「你的書教得非常好，最受學生歡迎。」停頓一下又說：「可惜你做了一些不應該做的事情，你心裡一定明白。」蘇校長遞給他一疊厚厚的檢舉信，站了起來，坐回自己的座位。

少白心知肚明，這是一堆讓他「一刀斃命」的信件，他只看了一封，視線就模糊起來，他不想辯白，小心翼翼走到校長跟前，還沒有開口，校長就接腔了：「不用解釋，你還年輕，還有前途。」

老校長從抽屜中拿出一封親自用毛筆正楷書寫的介紹信交給少白：「主管機關已通令各校不得再聘請你當教授。」這位目慈心善的長者，又嘆了一口氣：「我有一位好朋友在交通部擔任部長，他需要一位英文秘書，我已推荐你，你明天就去找他。」

老校長是他大恩人，不但沒有責罵他，還替他安置一份好差事，他不知道該說什麼，第一次在生人面前掉下英雄淚，校長又親自替他斟滿了漸冷的熱茶，他端起茶杯一飲而盡，告退時，老校長又貼心的叮嚀：

「別再替自己添麻煩，我對你有信心，好自為之。」

還有什麼禮物比這個更珍貴，當人落難時候，太需要別人扶他一把，這件事影響他日後的修為，他需要用感恩的心，來彌補自己做過的荒唐事。

進了交通部，他表現得很優異，謙恭多禮，勤奮工作，部裡同仁都對他評價極高，由於對女性存有戒心，不少人想替他牽線，他都斷然婉拒，大家不曉得他的背景和行事風格，對他十分好奇，他每天獨來獨往，雙眉緊鎖，心事重重，外表和內心極不相襯，於是，多事的人在背後暗諷他是個「大怪人」。他充耳不聞，我行我素，因為他的能力強，受到長官賞識，部分男同事心中吃味；因為他的作風怪，某些女同事到處打聽他的底細，就在他最安分守己時候，他的穢事和緋聞一樁樁被散播出來，他心力交瘁，夢魘已悄悄逼近。

在辦公廳附近，有一個高尚典雅的泰心俱樂部，經常高朋滿座，嘉賓如雲，他常常光顧這個交際場所，認識不少朋友，從不多談，大家頂多打個禮貌上招呼，當輕柔旋律在靜空中飄盪時候，他就會閉目靜思，往事如煙似霧般繞縈腦際，他恨自己聰明一世，糊塗一時，常在陰溝裡浮沉，逐漸失去信心。他想了很多，想用筆寫下漫漫心路歷程的痛苦回憶；也想用嘴表達出荒唐歲月的心境變化；可是，他什麼都沒有做，最後他想想，還是回歸專業的工作，做點救貧救難的社會福利工作，這個念頭在心裡醞釀了很久，很久。

少白來自畸型家庭，生父先天基因不良，體弱多病，四十六歲就告猝死，母親隨後改嫁，跟著繼父到南非約翰尼斯堡謀生，有三個同母異父弟妹，彼此從未見面，他排斥他們，不想跟他們扯上任何關係。母親再嫁時，留給他一筆足夠生活費用，他就用這筆錢，先後到歐洲留學，再到美國深造，個性孤僻，情緒起伏不定，自卑又自負，怯弱又頑強，喜悅時帶著憂悒，失敗時分外堅毅，似乎有多重人格，其實不然，情緒不穩定，外表亮麗，內心鬱結，人前談笑風生，背地鬱卒寡歡，他亦罹患先天性遺傳疾病，經醫生診斷，腎虛，尿酸過多，心律不整，長大後又常跟女生發生性行為，腎出了嚴重危機訊號，主治大夫多次警告，要小心腎虧，一旦洗腎，就會終身洗腎，他不是不怕，在緊要關頭，就忘了自律規範，惟一對他的有利保障，就是不會讓女性受孕，或許有這項保障，使他益發肆無忌憚。

他有一個親姐姐和姐夫，都在美國先後往生，一個親妹妹嫁給日本藝人。還交了兩個好朋友——馮致遠和溫家棋。溫家棋，樂觀，合群，講義氣，重承諾，在新加坡經營中藥生意，懂得知足，很晚成家，妻子賢淑，一家和樂融融。少白回國時，第一次去新加坡看他，家棋親自到機場迎接，回到家裡，發生一件有趣的插曲。

女主人端出一杯新泡香片，家棋風趣介紹：

「這是內人白舒宜，你從未見面的嫂子。」

少白關心問：「你們有幾個寶寶了？」

「不多，只有一個，還是青蛙。」

正在此時，小男孩從室內爬了出來。少白一看，遲疑一忽：「就是這隻青蛙？」

「是的，可愛的青蛙，過來見見叔叔。」

「啊！」少白抱起小男孩大聲調侃：「這不是青蛙，是蝌蚪。」

逗得三個大人哈哈大笑。家棋一邊喊少白坐下，一邊認真勸勉：「不管青蛙，還是蝌蚪，總比你孤家寡人一個人好。」隨即回頭對妻子說：

「這是我最好朋友，擁有三高條件，身材高，智慧高，學識高，有理想對象替他物色一個。」並誠懇催促：「該有一個伴，少白。」

新加坡美食聞名，街道纖塵不染，留下深刻印象。老朋友都有「青蛙」了，他有過一次失敗婚姻，縱使再婚，也不會有「青蛙」，這種不為人知秘密，從未告訴過任何人，家棋同樣諱莫如深，他將帶著這種缺憾埋進墳土裡。

他心裡很不平衡，想放棄台灣一切，再到美國去闖天下，又覺得闖不出名堂，留在國內，簡直英雄無用武之地，他是有理想有抱負的人，不願意就這樣默默無聞地浪費生命，他有很多很多理想，就是拿不定主意，教書是他有興趣的工作，怪他自己沒有掌握好方向盤，他將自己穿梆醜聞告訴了家棋，家棋不失為他知音朋友，鼓勵他不用灰心，要善用自己特長和智能，做一番有助世道人心的功德。

這趟新加坡之旅，有了新的心得，他跟家棋天南地北的閒聊，聊得很開心，家棋不贊成少白在致遠落難時不甩他。他認為朋友是患難見真情，致遠有不對地方，還是可以原諒，家棋苦口婆心說：

「交朋友不是做生意，不能只重視交易後的淨利價值，在內心深處要保留一個空位盛裝好友的感情，多點寬恕，少點算計，不論恩恩怨怨的起落，都要多想他的優點，人心是肉做的，對方遲早會感受到你真情的深厚。」

他知道家棋在勸導他，致遠是虧欠了他，還是要原諒致遠。他完全認同家棋觀點，但是家棋不是他，無法體會到受傷人的痛苦。致遠精明，能幹，矮矮胖胖的，為了利，可以犧牲朋友，為了賭，可以不計後果；少白上當多次，覺得「愚我一次，其恥在你；愚我兩次，其恥在我。」聰明像少白這樣的人，豈肯受騙兩次。少白認為友誼是一種鼓勵象徵，和力量的泉源。當你孤獨、寂寞、潦倒、絕望、悲傷、無助的時候，特別需要友情。致遠傷透了他的心，他是口硬心軟的人，家棋的話，對他起了很大作用。他想起少年時候，家裡很苦，致遠常常帶好吃東西給他吃，他好感動，幾十年交情，不能說斷就斷，現在致遠有難，固然咎由自取，做朋友的，應該承擔一點責任，扶持他走向有陽光的道路。家棋有家棋的優點，致遠有致遠的長處，家棋對致遠僅有一面之緣，都幫致遠說話，他跟致遠交往四分之一世紀，還能不理不睬嗎？

「聽說致遠還關在牢裡。」家棋關心的問。

少白點點頭，悶不作聲。

「有去看他嗎？」

「還沒。」致遠是少白高中好朋友，家境小康，父親是一個中級公務員，獨子，母親太溺愛他，吃好穿好，賭害了他大好前途。大學畢業後，就進入政府機構擔任小職員，在賭場輸了許多錢，冒險替黑道運毒，機場闖關時被破獲，判刑二十九年三個月，關在牢裡。他的風評很差，少白也跟他漸漸疏遠。回國多年，還沒有去看過他，經家棋一問，倒有點不好意思。家棋只見過他一面，談不上交情，看過新聞報導。

「少白，抽空去看他，患難見真情，他的行為可恥，並不代表你們交情不可貴。」家棋把什麼事情都往好的方向去想去做，少白交上他，算是不虛此生。少白對交朋友有不同觀點，他沉默一忽，站起身來，左手按著胸前：

「我很早就勸過他，不要賭，不要貪心，他就是不聽。」

「他有罪，他坐牢，這是他自作孽。」家棋口才只有少白的一半，但他的見解不輸少白。在老朋友面前，他也滔滔不絕地高談闊論著。

「交朋友，不在錦上添花，而重雪中送炭。」他望了望少白，又補一句：

「我勸你，去看看他，看看他！」

少白不再說話，心事重重。家棋一席話，開啟了少白封閉的心胸，回到台北，他第一件事就是走了一趟監獄，致遠關在泰山監獄裡，看到少白，又激動，又羞愧，眼眶滾動著淚水，用手輕輕按著眼皮不讓它流出來：

「少白，感謝你來看我，我真的沒臉——」

「不要自責，要真心悔改。伯父伯母還好嗎？」

「很好，媽媽多病，爸爸還健朗。」致遠關心問：

「你還過得很瀟洒嗎？你勸我，我也想勸你，不能再風流了！」

他們會心一笑，少白真誠互勉：

「我們都有些老毛病，改，一塊改。」

會面時間已到，少白望著微禿矮肥背影，搔了搔頭，習慣地摸了一摸耳根。在牢裡的致遠已經失去自由，想想自己還很自由，應該珍惜，必須珍惜。別人說，女人是禍水，難道自己不是禍源嗎？他很能檢討，就是不去實踐，這一回，兩個老朋友的話，都對他產生強烈的震撼力。

少白不是壞人，是定性不夠的人，做任何事情，會急急去做，天生對女性多情，多情而不專情，每次信誓旦旦說要改，每次又周而復始的犯錯，看到家棋幸福的家，再看致遠憔悴的臉，在兩人強烈對照下，他有感，誰都沒辦法救你，只有自己才能救自己。

多次迷惘，多次清醒，他不再年輕，沒有多餘時間任他揮霍，人只能死去一次，沒有第二次機會。

當然，必需調整生活步調，告別過去醉生夢死生活，有家棋一個好朋友，勝過千軍萬馬。在交通部，同事都用異樣眼光看他，使他受不了，自認遭到全世界的摒棄遞了一張辭呈走人。

決心成立基金會，對他是一項新的挑戰，他沒有經驗，茫茫然不知從何著手。初春四月，百花齊放，他決定放下自己，獨自到印度遠遊，印度對他有一股古老神秘的吸引力。

走在孟買大街上，兩旁高樓矗立，行人如潮水般飛來飛去，流線型轎車在街道奔馳而過，科技化引擎帶動印度加速現代化步調，印度已在不斷變革中展現出嶄新的風貌，孟買有印度好萊塢（Bobywood）美稱。少白在靜巷找到一間印度餐廳，推門進去，就看到一個黃皮膚臉孔的女服務生在向他招手，當他們靠近時，幾乎同時發出驚叫聲：

「巧巧」

「少白」

巧巧是少白明媒正娶的唯一妻子，專科畢業後，在台北美軍俱樂部工作，認識一個美國旅台年青小商人，用甜言蜜語誘拐她私奔到印度，這位不務正業的外佬，一到印度不久就不告而別，坐在櫃台內的丈夫，是道地印度人，粗獷，黝黑，滿臉橫肉，一副兇相，少白站在桌邊，跟巧巧聊起家常話：

「是來經商，還是洽公？」

「都不是。」少白瞧瞧菜單（Menu）說：「純觀光！」

「一個人來？」

「老習慣，我是獨來獨往的獨行俠！」他指著大門問：「自己開的店？」

巧巧點點頭：「現在生意難做，那二個女的是我的女兒，在店裡幫忙。」

一對女兒是她老公複製品，不如巧巧秀氣，少白點了一客道地印度羊肉咖哩飯（Mutton Cuhy），另加一份胡椒烤餅（Papad），巧巧趁機大吐苦水，捲起衣袖低聲埋怨：「他常對我拳打腳踢，我受不了，你帶我遠走——」

少白沒聽她說完，勸她看在兩個女兒份上，要吃苦，忍耐。他引用老校長的話：「不要再走錯了路！」

這時候，印度老公走了過來，瞪了兩眼，嘰嘰咕咕說了幾句，巧巧就馬上走去招呼客人，少白不想增添她麻煩，草草吃完飯，就埋單走人。

他想起往日時光，他們夫妻有過一段甜美生活，巧巧是一所女子專科學生，多才多藝，能歌善舞，還是樂隊總指揮，愛讀古書古詩，他追了足足三年，才贏得美人歸，大家都說他們是金童玉女，天生一對佳偶。萬萬沒有想到，佳偶變成怨偶，巧巧負他很多，對他打擊太重太深。看到巧巧遭遇又慼不捨，很同情她，憐憫她，他們恩斷情還在，他打算送她一份禮物作為紀念，在鬧街逛了幾遍，精挑了一件印度名牌阿洛基（Anokhi）衣裳，隔天又去看她，巧巧很高興收下禮物，偷偷塞了一張字條給他，他走到店外，急急打開，上面寫著寥寥兩行詩句：

「負君千行淚，
不知心恨誰。」

少白沿街默念幾遍，止不住失落的哀傷，其實，恨誰都沒有用，應該恨她自己。孟買入夜霓虹燈出神入化，詭譎奇麗，晶瑩閃亮，不失為絕世的豪華。不過，他不是來玩，而是散心，結果心沒散，結鬱得更緊，他不是教徒，篤信機遇，長年機遇欠佳，落拓天涯，在回程機倉座位上，猛敲堅硬的扶把：

「春風無力百花殘，
相逢何必曾相識。」

安抵家門，迫不及待地提筆疾書，記下這首刻骨銘心的小詩：

在妳眉宇間堆積著鬱結的愁緒，
異鄉的風情吹不散昔日的恩怨，
靜觀，陽光已爬過灰色的窗簾，
尋夢人不再有喜悅的情懷。

我們都不再年輕，
青草可以再生，
逝去歲月只能在夢裡重溫，
秋風不隨記憶傷痕，
流失在雲煙萬里的風浪裡，
依然深情款款地躲進時光隧道徘徊。

仰天細數晴空星星，
那顆最亮的一定是妳，

我無法把妳再摟進懷裡，
千絲萬縷哀怨緊纏心坎隱隱作痛。

擱下筆，他暗自思量，他們婚姻決裂，他要負一半責任。當年巧巧在洋機構服務，好的沒有學到，壞的都受到感染，喜歡抽煙、跳舞、玩撲克牌，假日會跟洋人去拍拖、看電影，有一次，從電影院出來，當街摟摟抱抱的，親友告訴他，他好生氣，他是個大男人主義者，希望自己妻子是「聖女貞德」，其他女人都是「瑪莉蓮夢露」，有一晚，巧巧在外面玩瘋了，很晚回家，一踏進家門，少白就大聲斥責：

「妳上那兒去野？」

「你別管，這是我的自由！」

「妳是有丈夫的妻子，妳不要太任性！」

「我就是任性，你能怎麼樣？」

少白大動肝火，上去就是兩個巴掌，這一打，打出大問題。他們結婚三年，還無半男一女，巧巧到醫院檢查，證明她可以生育，她要少白去體檢，少白相應不理，雙方經過長期冷戰，才釀成不可收拾的悲劇。巧巧跟洋人私奔，他能夠將責任推得乾乾淨淨嗎？

巧巧是她初戀情人，結局這樣慘，他很後悔當初的衝動，巧巧同樣有這樣想法，然而，破碎的瓶子，怎麼修補都無法恢復原來形狀，假如時光可以倒流，他會向巧巧保證做一個體貼的丈夫。

孟買是傷心地方，他無心久留，他真是雙面人，有時會毫無保留地把話說得又白又光，有時卻遮遮掩掩地堅不吐實，他不是有病，而是矛盾性格所造成。

一夜難眠，日出山崗，他才從惡夢中甦醒，床頭電話響了，他接過一聽，沒有聲音，又響，再接，又沒有聲音，他料定是歹徒惡作劇，置之不理，穿上便裝就出門去了，在大門口，閃出一個人影，她結結巴巴說：

「聽說龔教授是心理專家，在生命線服務，我可以請教您一個心理問題嗎？」

「剛剛是妳打電話給我？」

「是，不好意思打擾您！」

「妳怎麼知道我電話？」

「我打聽了很久，才拿到您的電話號碼，冒犯您，請原諒！」

他不好意思追究下去，大家是鄰居，應該客客氣氣的，他改變話題：

「找我，什麼事？」

她又吞吞吐吐說：

「我喜歡一個人，不知該怎麼辦？」

「好罷，我們到前面咖啡屋喝杯飲料。」

女孩子說出實話，他嚇了一大跳，她愛上大她三十三歲的老男人，不敢向父母吐露實情，請少白替她解惑。少白跟她父母常在電梯間碰面，微熟，缺交情，父親是大法官，嚴肅又冷漠，少女有個動人名字叫「雅嵐」。他勸雅嵐儘快離開這個男人，長痛不如短痛，雅嵐聽他的勸告，疏離了那個男人，卻三番四次來找少白，雅嵐清秀天真，少白確有些許動心，最後他剎車了，坦白告訴雅嵐自己部分情史，不想害她，他暗暗自許，要化作春泥一樣去照顧那些像花開得正艷的女孩。雅嵐擔心被父母責罵，終止了這份尚未開放的戀情，又把初開情懷移轉到另一個大學學長身上，他們初戀、熱戀、偷嚐禁果，學長榨乾了她的感情，就揮揮手走了，她受不了這種打擊，服毒自殺了，生命線轉知少白，要他到醫院跑一趟，據說雅嵐獲救後，口口聲聲要找少白，少白心境起了莫大轉變，如果過去有人告訴他，某人自殺了，他無動於衷，總是說：「這世上，每天都有人自殺，多死一個，又有什麼關係？」現在聽到雅嵐自殺了，就急急忙忙趕到醫院去。

少白跟醫院結下不解之緣，多次到醫院探訪病人，病人都不是他的至親好友，天生註定勞碌命，想推都推不掉，他從厭惡變成喜歡，由迴避變成責任，他抱著「天生我才必有用」哲理，他是有名精神科治療專家，生命線慕名敦請他為顧問，天賦他這項使命，樂於承擔，減輕罪惡感。

雅嵐躺在病床，看到少白很激動，少白鼓勵她勇敢活下去，他引用存在大師齊克菓的話：「存在先於一切」，人活著，才有作為，歹活勝過好死，死去可能一了百了，但如何捨得離開心愛的父母，人要有感恩之心，報恩之情，一家人才會幸福。

「雅嵐，妳瞧，妳母親衣不解帶，終宵陪伴在妳身旁，守護妳，伺候妳，餵妳吃藥，替妳蓋被，妳忍心看到她痛不欲生的活著嗎？」

少白說到雅嵐心坎痛癢之處，她淚水崩瀉而下：「媽，您過來，您別哭，是雅嵐不好，讓您傷心，讓您失望。」

「別說了，雅嵐，我的乖女兒，媽媽不會怪妳，只要妳活著，什麼都好談。」

母親坐近她的床沿，撫著她的額頭：「妳是爸爸的心肝寶貝，老爸為了妳瘦了一圈，別再做傻事，有任何困難，儘管告訴媽，媽會為妳承擔一切憂煩。」

雅嵐母親仁慈善良，是一個家庭主婦，她為雅嵐添了不少白髮，天下父母心，雅嵐從鬼門關走了一趟，發覺還有很多人關心她，疼愛她，她沒有理由捨棄這種幸福，她要活下去，活得健康，不再自尋苦惱。

看到雅嵐恢復信心，少白滿心欣慰，多年來，他教書，教得灰頭土臉；當公務員，當得壯志全消；唯一有心得的，就是在生命線處理幾件棘手的個案，均有可觀成績。他體會到自己適合從事這些助人匡世的行業，既可救人，又能救己，何樂而不為？想到這裡，他想為自己打造一個新的天地。雅嵐的重生，給他莫大的信心和鼓舞力量，他認為雅嵐可以從死中復活，他怎麼不能從活中跨出堅實的步伐。

有了這股力量，有了這股方向，他知道不再像漂泊江海的孤舟，任憑風吹雨打，失去生命的出處和生活的出口。

禮拜五，他無聊，決定再上泰心俱樂部，品嚐濃馥的好咖啡，甫走進大廳，就看到一位老友遠遠向他招手，少白不得不上前打個招呼，老友轉身向他介紹身旁一位氣質高雅的少婦：「這位是大名鼎鼎的夏怡真主任委員」，少婦立刻站起來，向他親切的握了握手，少白恍然大悟，坐在面前的夏主委，就是常聽人提起的緋聞中女主角，她怎麼看都不像，一派神聖不可侵犯的女強人，那會是紅杏出牆的女主角，難道亮麗的形象真會包裝著邪惡的心靈？許多蹂躪別人妻子的丈夫，安知自己的妻子正被別人所踐踏，這正是一種循環報應，一報會一報，一罪贖一罪，心中有愧的人，很難有光明磊落的心境。蘇校長諄諄教誨，要他千千萬萬不能再越雷池半步，再越半步，就會粉身碎骨，他匆匆喝完咖啡，就藉口告退了。

在路上，他反覆在想夏主委這個謎一樣女人，她矜持，端莊，不苟言笑，一副高不可攀模樣，分不清是清純型蕩婦，還是實力派才女？他猜測不出，他們兩人的關係，晃了晃腦袋，心想，何必杞人憂天，他已經夠煩，眼不見為淨的好。

旅遊，是少白渡假的首選，他認為旅遊可以增廣見識，擴大視野，紓解情緒，調劑身心，飽嘗異國風味，開創富足的生活。在課堂上，他曾鼓勵學生去旅遊，旅遊成了他平生的最愛。有些學生受他的影響，省吃儉用，儲蓄打工零用錢，在寒暑假到鄰國去開開眼界。

這次，他又來到巴黎，舊地重遊，分外有親切感。巴黎塞納河的右岸，古趣盎然，氣象萬千，沿著康果特廣場走去，東面是迤邐連雲，燦爛多姿的羅浮宮，西面是舉世聞名的仙街香榭麗舍大道，大道的盡頭就是彩雲環繞，巍然蹯踞的凱旋門。巴黎，真是一個教人迷醉的花都。

仙街兩旁盡是公園，繁花似錦，碧草如茵。放眼看去，行人道盡是林立的露天咖啡館，少白正想就坐時，忽然看到一雙熟悉的人影從另一端街心掠過。

「奇怪，他們怎麼會在這兒？」他定一定神，不信自己眼睛，快步跟上去，看到他們牽著手，彷彿是一對蜜月新婚的伴侶，跟著，跟著，親眼看著他們轉進一間富麗堂皇的大飯店。

夏怡真，他心目中偶像，遠在七十年代就紅透半片天，她走在時代尖端，挑戰傳統禮教，今天才大開眼界，發現女人偷吃禁果時候，比誰都大膽。這是他重遊巴黎的意外收獲，讓他有了新觀念，女人是最難理解的動物。

返回台北，在泰心俱樂部又遇見喜歡散播訊息的黎克勤，他把少白拉到一邊，壓低嗓音說：

「出事了，出事了。」

「出什麼事？」

「夏主委跟我們部長同遊巴黎，被一隊台灣旅行團看到，事情鬧得沸沸揚湯。」

「影響他們——」

「影響，影響，百分百影響。」克勤神秘兮兮拉長臉：「聽說二位立委要公開修理他們。」

過了二週，姜部長下台了，怡真也調回學校當專任教授。怡真夫婦在社會都是有頭有臉人物，丟不起這個面子，夫妻名存實亡，分居在同棟大廈的不同層樓內，老丈夫無法諒解她，弄了個小三，生了兩個女娃娃，每一樁緋聞，下場都很悲慘，少白聽多看多，不是滋味，卻未到反胃地步。

泰山俱樂部是他常去地方，一個炎熱下午，他到老地方時，看見怡真獨自一個人坐在靠牆的角落邊，神情落寞，臉有倦容，看到他燦然一笑，他刻意用力向她敬一個禮，怡真隨口問道：

「一個人來？」

「是，我常來，我可以陪主委？」

「歡迎，當然可以。」

他們有共同話題，聊得很開心，聊得沒完沒了，少白避免碰觸她的隱痛，討論話題多繞著國際要聞走，惺惺相惜，臭味相投，分別時又約好再見時間，上天有心湊合他們，感情迅速發展，沒多久，怡真就搬進了「龔公館」，他們不避諱，不隱瞞，儼若一對老情人，外界指指點點，他們充耳不聞，少白又忘了自己詛咒，他們相互欣賞，又互相排斥，白天各忙各的，晚上爭辯不休。有一天晚上，怡真在外面有一個應酬，薄有醉意回來，少白在家久等看不到人影，心中早已光火，看到她輕佻舉止，一時火上加火：

「應酬那有那麼多，幹麼不打一個電話回來？」

「你沒有應酬？只有我要向你報備，少來這一套！」

「我們是夫妻，要彼此尊重。」

「夫妻？那門子夫妻，這樣短，就看不順眼了！」

「莫名其妙，要檢點一點。」

「檢點？你有什麼資格教訓我？」怡真個性倔強，不會輕易讓步：「你太自命不凡了。」

「妳有什麼了不起，自命清高。」

「我沒有什麼了不起，難道你就了不起！」怡真反唇相譏。

「少來這一套，還記得巴黎這件事情嗎？」

這下，可把怡真惹毛了，順手拿起茶杯扔了過去：「你的穢聞滿天下，還敢指三道四的。」接著側臉大罵：「不要臉的豬。」

少白暴跳如雷大吼：「這個賤婆子，妳不要龜笑鼈沒尾，先照照鏡子再辱罵別人。

」

男女爭吵，沒有好話，高級知識分子，也不例外，他們吵得太兇，對房老婆婆跑過來敲門關心，他們沒有開口，安靜了下來，怡真收拾好輕便物品，就提箱奪門而去。少白沒有攔阻她，他敬佩她的才情，並不喜歡她的姿色，套句俗話：怡真「不是他的菜」，既然想走，就樂得清靜。

怡真是不服輸的女強人，不會輕易被任何人擊倒，因此仍活躍在社交圈。少白可不同了，個性多愁善感，高興時候，什麼都敢做，失敗時候，就心灰意冷，什麼勁都沒有了。失去依亭，他並不氣餒，但又多了一次打擊，他想起自己彎彎曲曲的挫折風波，竟抱頭痛哭起來，性格支配命運，注定了他漂泊的一生。

失去怡真，他又孤孤單單過日子，在一家西餐廳裡，他點了一分牛腩特餐，準備付賬時，櫃台小姐指著前方一對中年夫婦說：「他們付了。」

「奇怪，誰呀？」他看見這對夫婦正向他揮手致意，女的走了過來：「龔秘書難得遇見您，多年不見，您消瘦不少。」

少白記起這位潑辣女人，當年在交通部工作，她是有名長舌婦，到處散播謠言，害他平白失去一份理想工作，他不想領她這份情，冷冷說：

「我們各付各的，妳不要破費。」

「老長官，大人不記小人過，讓我請客向您賠罪。」

少白吃軟不吃硬，看她這般誠意，不想給她難堪，已經那樣久遠事件，何必還放不開，拍拍她的肩膀。

「謝了！」接著跟她走了過去：「這位是——」

「我先生——徐乃昌。」

乃昌緊緊握他的手：「幸會，幸會，常聽內人提起你。」

他們互道再見後，內心五味雜陳，給他只是痛苦和悲傷。這一晚，少白失眠了，又跌入在交通部那段美好時光裡，平地起風波，他不惹人，人來惹他，人心難測，誠如馬可福音所形容嫉妒是「惡意的眼睛」，嫉妒使人蒙上雙眼，迷失了方向，呂明穎受人指使，良心受到譴責，今晚才會過來向他示好，他可以原諒明穎，明穎大概很難原諒自己，女人喜歡搬石頭砸自己腳尖，痛了才知禍重。

女人可以分為許多類型，明穎該歸到什麼類型，他已經分不清楚。過去部裡同仁曾告訴他，明穎很喜歡他，有點酸葡萄味道，女人是可愛動物，也是可怕禍水，他一生跟女人宣戰，與其說是「且戰且走」，不如說徹底「高豎白旗」。

太多女孩子在他腦海中重疊閃爍，他知道自己意志薄弱，一邊發誓，一邊越軌，他好像身邊沒有女人，就沒有安全感，他一犯再犯，犯後都雲淡風輕，老校長訓誡對他有點效用，效用時間不長，過後又故態復萌，他暗暗自忖，從南心、巧巧、依亭、怡真，那一次不是捲起狂風暴雨，那一次過後不是風平浪靜，關關難過關關過，僥倖心理在他觀念中作祟，他沒有看到棺材不死心。

不久之後，他在一個社交場所又認識一個少婦，她主動跟他攀談：

「我是你學生的母親，我見過你，在一次天主教教會演講會上，你講得好生動，好精彩，我是你忠實偶像。」

「不敢當。」他難得謙虛：「怎麼稱呼？」

「我姓詹，叫我詹太太好了。」

「常去聽講演？」

「不多。」

「常來這兒？」

「很少。」

「妳的千金在那一所大學讀書？」

「在C大，你教過很多大學？」

「是的，教多了，學生就多，記憶就會錯亂。」

「說的也是，我的女兒叫黃亞萍，記不記得她？」

「抱歉，沒有印象。」

「她外表文靜，很用功，C大畢業，就到英國倫敦大學繼續修碩士。」

「很好，很好，小孩是要多讀點書。」

「那個父母不望子成龍，望女成鳳。」她嘴巴很甜，儘挑好話說：「老師棒，學生自然也棒。」

「去了多久？」

「兩年半。」

「修完碩士？那一門？」

「受老師影響，也是專修社會心理學，拿到碩士，還打算讀博士。」

他們邊談邊走出會場，天下起雨來，廖太太從皮包內拿出折傘：「老師，上那兒？我送你一程。」

少白還沒有回話，廖太太已撐開雨傘，少白不好意思，趕緊把它拿過來，兩人躲在小傘裡，廖太太的手已勾在少白的臂彎裡，少白想摔開都摔不開，廖太太身材火辣，緊緊貼在少白胸前，雨下得又急又大，他們盲目走著，不自覺地走近一條僻靜小巷內，四顧無人，只聽到遠處喇叭聲，少婦趁勢投進少白懷裡，少白不是柳下惠，兩人就擁吻一陣，少白已有警覺，把她推開：

「我們回去吧！」

少婦依戀不捨說：「留個手機電話。」

廖太太三天兩頭來找他，少白耽心在街頭碰到熟人，乾脆把廖太太帶進「摩鐵」溫存。他們都是沙場老手，一個像浪裡白鯨，大魚小魚通吃；一個是天上巨鷹，大鳥小鳥全抓；一進房間，廖太太就自動寬衣解帶，他是品味很高的人，對這種女人，興趣缺缺，不曉得為什麼一再動起邪念，他承認廖太太長得不錯，但是，她濃粧艷抹的裝扮就倒足他的胃口，他想，他們不會有明天。

廖太太充其量只是他低迷日子裡的零食，他要完完全全把她趕出自己的生活領域，但是，廖太太不這麼想，她長久以來，生活和心理只有雙重空虛，空虛得讓她感到窒息，好不容易搭上這隻「白馬王子」，比過去那些不上道男人要可愛多了。

噢，廖太太張起了天羅地網，不讓少白有機會逃脫，她一天十二小時緊釘著少白，上午請安，中午送飯，下午請吃下午茶，連宵夜都想包辦，少白告訴她不要這樣煩他，她告訴少白不能這樣玩她，大家有理說不清，少白摸清了她的底，她是黑道大哥的姘頭，老大有不少情婦，人很四海，粗中帶細，廖太太雖然是小三中的小三，但是，大哥不好惹，他真的害怕，決定跟她攤牌，答應她再見最後一次面。

隔天，他們又碰面了，少白嚐到甜頭，像蜜蜂採到花蜜，不捨就此罷休。廖太太一次又一次刻意奉承，把少白薰得飄然若仙，不愛也瘋狂。

就在他想脫身時候，卻已步步落入陷阱，當最後一次濃情蜜意關頭，被逮個正著，老大囑咐三個彪形大漢，守候在少白家附近，他們看到少白挽著廖淑如一路有說有笑回來，就一擁而上，不由分說，把少白狠狠K了一頓，少白被打得鼻青臉腫，滿身淤青，淑如閃在路邊，也被打了幾個巴掌，唯一慶幸的，沒有報案，驚動警察，小嘍囉一哄而散，淑如在驚慌中逃之夭夭，剩下少白滿地找眼鏡，滿地找假牙，鮮血從嘴中直噴而出，他獨自到牙科診所療傷，忍著劇痛，熬過長長的長夜。

他以為雨過天晴，又逃過一劫，要出門複診時，電話鈴響了，他沒接，鈴聲響個不停，他的心忐忑猛跳，想不接都沒有辦法，拿起電話筒，就聽到對方大聲怒吼：

「幹你娘，你玩我老婆，我要玩死你！」

他忍受辱罵，不敢接腔，對方越罵越兇，越罵越難聽，他掛掉電話，電話鈴又響，經過幾次之後，他只好再拿起聽筒，老大平息了怒氣：

「看你是讀書人，饒你一次，你們再『勾勾纏』，砍斷你的狗腿，切掉你的『雞雞』。」

少白安靜的聽，一句都不敢吭，老大罵夠了，少白聽夠了，小心翼翼陪罪：

「對不起，請原諒，我再不敢——」

他聽到對方又罵一聲：「幹你娘」，電話就斷了。他彷如一隻驚弓之鳥，被轟得天旋地轉，這一次，比任何一次得到教訓都深刻，他是劫後餘生的罪人，再這樣不知自愛，一定會死得很慘。廖淑如只是他生命中過客，對她的身世一無所知，自己飛蛾撲火，燒得遍體鱗傷，還把廖太太拖進火坑，後來再也沒有聽到她的消息，應該比他傷得更慘。終日射雁的人，最後被雁啄瞎眼睛，他滿街覓食，難怪消化不良，這是晴天霹靂的一拳，打得他眼花撩亂，痛進心窩。

一年後，五月的第一個禮拜三，他到一家大醫院檢查身體，他的胸口不時隱隱作痛，他擔心上次被打傷及胸腔，在走廊上遇見淑如，她坐在輪椅上，有個外勞推著走，他猜想，淑如被丈夫打斷了腿，低著頭，滿臉幽怨，他不能再上前打招呼，偷偷從側邊溜走，再回顧，她已進了電梯，他呆站在門診的邊邊，譴責自己，他聽到護士在叫他號碼名字，又是一名女醫生，戴著口罩：

「龔教授，那兒受傷？」

她摘下口罩，瘦瘦的，乾乾的，弱不經風的身子：「我是你C大學生，畢業後又去讀醫學院。」

「妳很有成就。」少白：「成家了？」

「早就成家了，我的先生也是這裡醫生，也在C大兼課。」

「哦！你們夫唱婦隨，好棒！」

「都是老師教誨有方。」她轉個話題：「老師X光片我細看了一下，傷的不輕，被什麼撞傷？」

「不小心，在路上撞到電燈桿。」他不敢實話實說，在學生面前公然說謊。

「不是。」女醫生知道他在說謊，很巧妙說：「不管被什麼物體撞傷，傷口裂痕蠻大，我先給你打一針，再開一些藥，每天三次，要按時吃，每三個月再追蹤一次。」

少白好羞愧，學生都比他有成就，自己白活了一輩子。女醫生起立目送他走出門診室，他回顧門口張貼的病人名單，牆上有女醫師姓名，她叫「程雪」。他不記得她，他頓然體認到：不出色的女孩子，往往是出色的成功者。

他每接觸一群人，都有新鮮的感受，任何人都不能目空一切，自大自負的人，常常會目盲心黑，做出經不起仔細分析的傻事。

少白因為每三個月要到醫院複診一次，漸漸跟程雪有接觸機會，程雪很關心他，特別給他一些方便，她在學校很欣賞少白教學方式，不過，她貌不美，鬥志很堅定，不被少白所青睞，現在已很成熟，無形中修正了少白過去許多錯誤觀念，如果能再來一次教學機會，他一定會準備得更充足，教課更認真。程雪也聽到一些他不堪穢聞，她從不提起，多次對少白暗示：

「倘若你專心去教書，會是第一流教授。」言下你現在淪落到二、三流教授，甚至沒有學校可以教，完全敗在自己手裡。少白何嘗不明白，他已經失去所有機會，不可能從頭來過，他很坦白告訴程雪，他今後會從事社會救助工作。

經過三番四次的診療，他們已很熟悉，還把丈夫嚴益勤正式介紹給少白認識，他已是大名鼎鼎的名醫，少白在他身上看到成功人的條件：不譁眾取寵，不追求虛榮，兢兢業業工作，力爭上游，造福病患。少白看到學生夫婦都比他有出息，恨不得一頭攢進地洞去。

程雪沒有受到少白欺侮，在她心目中，少白還是一位不可多得的出色教授。

不記得聽誰說過，男女沒有友情，只有愛情，過去他不信，現在他信，因為男女朋友太接近，會遭旁人誤會，他交了那麼多女性，到頭來，沒有一個是真正粉紅知己，或許是他交得太多，太雜，反而一個都沒有，他想通了，千錯萬錯都是自己錯，他不能看到雨季傷心，更不能看到陽光哭泣，他是社會知名度蠻高的人，不要被別人看扁，昨天已經死了，明天必須重生。

坐在候診所椅子上，看到醫護人員進進出出，忙裡忙外，他感覺自己是一個廢人，閒得可怕，不知道做一個忙裡偷閒的人好，還是閒裡裝忙的人好？其實，他兩者都不是，他太閒了，閒得發慌。他本來可以做一個忙人，自己放棄了這個權利，心中有一個願望，這個願望幾時能夠達成，也毫無把握，他必須嘗試，跨出堅實的第一步。

老校長的話，家棋的話，甚至程雪的話，都在他心中發酵，他沒有再退縮的理由。過去，他是一個沒有下雨，不會想到雨傘的人，今後，決心在雨季來臨之前，先準備好雨具。

社會沒有放棄他，他不能放棄自己，過去曾處理過幾件生命線個案，都蠻有成就感。

走出醫院，天色已晚，撫著胸前傷痛，成群的中學生在那兒興高采烈的喧嚷，年輕就是本錢，他自信會幫這些有希望的人做些有希望的事情。夜吞下了黑暗，星星在閃耀。

他知道自己方向是正確的，但實力還不夠，需要沉澱一段時間，詳詳細細考慮，不能再有任何差錯。千頭萬緒纏得他心頭發麻，他想找個清靜地方想清楚再做決定。於是，他想自我放逐，離開這吵吵鬧鬧的十丈紅塵，他有一個構想，就是一邊出家，一邊做公益事情，他下不了決心，也找不到適當商量的人。這件事情在心裡盤旋了好幾個月，人瘦了五公斤。

霎那間，他決心出家了，尋尋覓覓了一段時間，就落腳在一個山間的寺廟裡。

山居生活，物欲減少，沒有應酬，是靈修養性好地方，但是，他有許多理想和願望沒有辦法去完成，他落落寡歡。

在走廊上遇到大師兄慕幽，慕幽早就看穿他的心緒，關心問他：

「悟明——」這是師父替他取的法號：「你上山幾年了？」

「快三年了。」他屈指算算，時間過得真快，一千個日子都快過去了。他喜歡這個地方，卻不屬於這個地方的人，他問慕幽：「我在這兒，會不會是虛度時光？」

「不能這樣說，三年，三年可能給你很大悟性，你才覺得有些心願還沒有去完成。」

慕幽久居這個寺廟，對它有深厚感情，他對少白開示：「風吹來，你抓不住；風吹走，你也抓不住；能夠抓住看不見的風，靠你內在的定性。」

定性，少白自覺定性不夠，他問師兄：

「我學社會工作，心理學和社會心理學，我有心去從事社會福利和社會救助工作，你認為我做得到嗎？」

「那有什麼困難，只要你有目標，設定好方向，世上沒有不能成功的事情。」慕幽雙手合十，引用日本詩人瓢水一句名言：「將死之蟬會大聲地鳴叫。」他意有所指的說：「蟬生命那樣短促，還是不顧一切，努力地鳴叫。人必須盡心去做，才能驗證自己有沒有這個能耐。」

慕幽一席話，讓他吃下「定心丸」。他左思右想，整不出完整的頭緒，多少悲歡已經淹沒，多少春風已經消逝，多少美人已經離去，多少往事不堪回首，多少，太多的多少，他已經抓不住，寺廟禪修心得不少，跟現實脫離太厲害，他對「利」看得很淡，對「名」看得很重，偏偏自己掌握不住，每一個夜晚，風吹動他的心，他的心浮移不定，他知道按捺不住自己的狂野，一心想還俗，離開佛堂，再竄一次。

他再三考慮，走進禪房想向師父請益，老和尚是知名高僧，法號弘智，看到少白，很親切關懷：

「悟明呀，你到這兒二、三年了嗎？有什麼感想？」

「這兒環境幽靜，大家都對我好，我真的感恩。不過——」他知道自己身在窗內，心在窗外，不能靜心定性，缺乏出家人高邁修為，他想說，沒法和盤托出，弘智仁慈親善，和顏悅色指點迷津：「悟明，你塵緣未了，應該考慮帶著教義，重回大千世界普渡眾生。」他凝視少白，摸摸額頭：「你在山上禪修，只能救你自己一個人；到山下弘法，可以拯救許多人。」

師父的話，像千鈞力量，落在他的心房，攢進他的血管，激起他的共鳴感。他想說的話，師父都幫他說了，他抬頭看到牆上有一幅對聯：

「來時空素素，
　去也赤條條。」

人，來的時候是空手來的，走的時候也是空手走了，然而，他有良知上責任，要為這個世界留下一些有意義東西。這時，他領悟到，他皈依佛門，再破戒還俗，主要是理想心願尚未落實。

他到寺廟之前，就把樓房賣掉，除部分捐獻給寺廟外，身邊還儲存著不少現金，他忽然想起在歐洲讀書時第一個情人鄭南心，她小巧玲瓏，溫柔和善，父親是陸軍中將司令，母親是虔誠基督徒，他們在比利時相識，他曾經愛過她，後來因個性和理念不合而分手，他聽說她定居在日內瓦，他靜極思動，想去看看她。

揮別寺廟，沿著幽蜿的山坡往下走去，回顧隱匿在山腰中的那座紅牆礫瓦的大廟，只有紅紅的殿柱在寒風中顯得格外醒目與肅穆，三年來，一襲架裟，一串唸珠，和一隻木魚，把他禁錮在這個小小的天地裡。這天，是他三年來第一次下山，他有太多的感傷，風甚大，草甚高，他心靈中空虛極了，也荒涼極了，他對這個城市的大街小巷已很陌生。他怕見到熟人，他想先去一趟日內瓦，那兒有他年輕時腳跡和迷惘的戀情。他越過半個地球，悄悄地來到這個瑞士首都。此刻，他站在草色碧青，環花簇擁的小樓旁邊，門口輕揚的風鈴聲，吹得他鬱悶胸口微微跳動，他遲疑了一忽去按門鈴。沒多久，門開處，出現一個白髮碧眼的老年人，口中嘀咕不停，臉上堆滿瑞士人民特有的平和顏色，少白感到侷促不安，用生硬的法語問道：

「密司卡薩琳（Catherine)住在這兒嗎？」

佬外攤開雙手，聳聳肩，一副無奈和詞不達意的表情。

他一遍一遍地問，佬外不住地搖頭，他苦苦地微笑，並用英語表達歉意，老先生瞪著大大的眼珠，神情很訝異，口中迸出一串串滾動的字音，就逕自進去了。

少白失魂落魄地走離小樓，長長的長髮遮住他的眉，遮住他的眼，遮得他心慌意亂，遮得他四肢直打抖嗦，他很失望，這樣美的情調，這樣美的國家，為什麼偏偏有這樣滿心破碎的人。

在這達闊的草徑上，他獨自往前直走，就在這時候，他看到南心（Catherine）依偎在一個年青洋人身上從遠遠的正對面走來，他用迷迷的視線投注在對方的臉上，感覺他們很幸福，他趕緊轉身走開，他不願破壞他們幸福，他曾經有過，沒有好好珍惜，看到南心幸福，他也很安慰，當年的魯莽，空留一堆挽不回的失落感。

拖著疲憊的身軀，回到寧靜的小旅館，意外在大廳遇到家棋，他們都不禁緊握對方雙手，他們真是有緣的好朋友，在這樣遠的地方竟會不期而遇。

「家棋，你怎麼會到瑞士來？」

「洽談一樁生意。」家棋睜大眼睛問：「你到這兒幹嗎？」再問：

「這幾年，你躲到那兒去？找也找不到。」

「抱歉，我本來不想驚動大家，一個人隱居在寺廟裡。」少白猛灌咖啡，表情十分尴尬。

「為什麼？一個人躲在廟裡，你究竟為了什麼？」家棋緊緊追問。

「我該死，我做了很多丟人的事。」少白知道不能再欺騙這位老友了，就一五一十的把過去許多不堪的醜事都抖了出來。說出心理困惑，頓時輕鬆不少，家棋繼續安慰他：

「每一個人都會犯錯，但不能不改。我看過盧梭『懺悔錄』，書中男主角尚萬近，年青時胡作非為，年老時卻成了大聖人，你有才華，有能力，應該做東方尚萬近。」

少白沒有說話，家棋又說：

「今後你有什麼打算？」

「我打算籌設一個基金會，專門救助那些窮孩子。」

「很好，趕快去進行。這個基金會恐怕需要多方面的配合。」

「這也是我頭痛的地方，師父囑咐我下山弘法，我真不知道該從何著手？」

「救助貧寒，是慈善事業，不是做生意，只能付出，不求代價的。」家棋繼續說：

「你有這種抱負，令我感動。」

「我有這種念頭，不是一朝一夕的，我不求回饋，只希望問心無愧。」

「這需要龐大經費，你一個人力量有限，必須結合大家的力量來推動。」

「這正是我長思久想無法輕率決定的困惱。」少白雙手插進褲袋內，在室內踱著方步：「我想藉公益服務將淨化道德理念宏揚出去！」

「好極了！做善事，我會是第一個贊助人。」家棋拍手叫好。

「我不想把你拖進來，過去你一直幫我忙，欠你太多。」

「少白——」家棋上前拍拍他背部：「我們是好朋友，你的事情就等於我的事情。有需要大家幫忙，天下沒有不可能的任務，讓我助你一臂之力。」

「可是，家棋——」少白心裡感動，左右為難。

「少白呀少白——」家棋低頭略作沉思：「不瞞你說，這幾年我賺了不少錢，樓房就買了三棟，我有足夠資金幫助你。」家棋不愧為少白最知己朋友，患難見真情，慷慨又熱情：

「我先匯三百萬元給你當基金，然後——」

「夠了，三百萬，我自己也拿出三百萬。」他露出高興樣子，眼睛閃爍著光輝：

「有了六百萬老本，應該能做點功德。」

這時，少白內心的信念，變得更堅定了。

「你比我聰明，比我書讀得多，能夠自己覺醒，比什麼都重要。施比受有福，造福人群是一項艱巨挑戰，我無條件支持你。」家棋想想又說：「你最好先擬訂一個周詳計畫，我可以再找幾位商界朋友支助你，他們經濟實力雄厚。」

「計畫，我正在想，改天會寄給你，請你提供意見。」

「野心不能太大，要踏實去做。我有一位建築界好朋友，開始時只蓋幾棟房子，賣得很辛苦，現在一蓋就是上百棟，成了有名建商。」家棋怕少白好大喜功，補充說道：「社會救濟工作需要時間，時間長又費力，要有耐心，踏實去做。」

「相信我，家棋，我不再年輕，我不會浪費，這次，我鐵了心，要讓別人刮目相看。」

「我看得出來你變了，變得穩重而踏實。沒有人會低估你，好好做，你會成功的。」家棋實話實說，說的都是良心話。

好朋友本來就應該這樣，家棋比他年長幾歲，像他哥哥，又像他父親，是少白福氣，有這樣忠實又誠懇的益友。

老天巧安排，他們兩個莫逆之交的好朋友，會從不同的遠遠地方同時來到日內瓦，使少白助人的火苗迅速燃燒起來，對他來說，本來真是不可能任務，現在變成可能執行的任務，他做夢都沒有想到，家棋一口氣就慨捐三百萬，這不是區區的數目，這是他生涯中最重要的時刻，充滿了崇高的感動。

回國後，少白經過一陣沉寂，情緒仍很低落，長期的孤單特別思念遠嫁日本的親妹妹少慈，她容貌平平，個性隨和，勤儉知足，處處替別人著想，處處從好的方面去體諒別人。留日，嫁給日本人，本來大家都不看好這樁婚事，但她跟丈夫島崎藤村，相處得很融洽，生活安定，小康家庭，生有兩個雙胞胎女娃娃，她已經心滿意足，別無他求，她很關心哥哥，常常打聽哥哥訊息。少白跟她個性截然不同，沒事不想驚擾少慈，知道她過得好就很安慰。這些年，少白躲在深山，少慈找不到他，急如熱鍋中螞蟻，後來才慢慢聯繫上。當少白正在思念她時候，少慈先打電話通知他，要帶二個小女兒回來看看舅舅。少白很久沒有這樣開心過，在百貨公司千挑萬選買了二個洋娃娃，準備作為外甥女見面禮。

少慈終於回來了，住進台北東區「白宮飯店」，少白趕去看她，她跟兩個小女兒早在大廳恭候大駕，多年不見，心花朵朵開，少慈牽著兩個小女兒，小女兒怕生，閃躲在母親背後，伸出頭頸張望少白，好純真，好可愛，逗得少白直呼：

「別怕，別怕，舅舅不是老虎。」小女孩聽不懂他說什麼，他把洋娃娃拿出來，兩個小女孩已沒有戒心，兩人各抱一個洋娃娃，又摸又撫，少慈低下頭，用日語對她們說：「喊舅舅」。

小女兒用生硬國語說：「舅舅，舅舅。」

少白用力把她們都抱起來：「好乖，好漂亮！」

她們兩個除了有日本名字外，少慈還替她們各取了一個好聽中文乳名，一個叫「小東」，一個叫「小南」。小東、小南是舅舅開心果，讓少白多了不少貼心的慰藉。

當天午後，少白和少慈談得正開心時候，少白告訴少慈打算設立濟貧基金會，少慈還沒有表示意見，有一個女孩子一拐一拐地推門進來，少慈雀躍萬分，高喊：

「慧靈，想死妳了！」她們見面先來個擁抱禮，少慈接著介紹：

「這就是慧靈。」

「我猜，是龔教授！」慧靈搶著回答：「不好意思，打斷你們兄妹談話。」

「沒關係，剛才我們正在閒談我哥想成立一個基金會，專門救助那些貧困有志向的孩子。」

「太好了！」慧靈患有先天小兒麻痺症，對這項工作特別敏感：「什麼時候開始，我來做義工。」

「還在構思，還沒成熟。」少白輕拍雙手，看著床上熟睡的兩個小外甥女：「這個社會不公平，有些貧窮孩子太苦，需要大家來幫忙他們。」

「政府社會福利工作有在做，各方面還不夠健全，民間若能配合，一定有更多人受惠。」慧靈興趣濃濃。

「社會福利事業，範疇太廣，項目又多，私人能力有限，我哥只能先做些——」

「我想從貧童、青少年這塊先做起，他們最有潛力，遠景大，希望多。」

「對，對。」慧靈鼓掌贊同，少慈頻頻點頭。他們的聲音，驚醒了小東、小南，少白有事先走了，接著就是少慈和慧靈的世界。

四個月後，少白又收到一筆一百萬元巨額捐款，一看是少慈匯來的，他好愧疚，少慈在海外生活如此辛苦，捨不得多花一毛錢，怎麼一出手就這樣慷慨。他接受家棋捐助，已經夠不安，他有錢，還說得過去，少慈可不同了，一百萬新台幣對她可是天文數字，他被感動得淚水不停在眼眶中打轉，知道「退」，可能少慈「不爽」；「收」，自己難安；進退兩難，不知如何是好，趕緊打了一通電話到福岡去。

「小妹，妳給我這分濃濃手足之情，我會永遠牢牢放在心裡。不過，我不能收，我準備匯回去。」

「哥，你如果這樣做——」她斬釘截鐵說：「我以後再也不回台北了。」她大大光火，掛斷電話，少白從小摸清她的脾氣，她不輕易動怒，一動怒就很難扭轉過來，他不再堅持，算算已湊足七百萬基金，可以好好運用，他信心大增，彷彿看到窗外初晴的彩雲，他決心放鬆一下心情，迎接事業第二春。

人在潦倒時候，需要別人幫忙；人在絕望時候，需要別人慰勉；少白有一個好朋友，還有一個好妹妹，總算在茫茫人海中找到有力的依靠。他省悟到，別人欠他少，他欠別人多。他不斷告誡自己，要贖罪，要還債，要背起感情十字架，以前年輕，說了可以不算數，現在老了，不能一再欺騙自己，這次下定決心，發了毒誓，他是一個很難下決心的人，下了決心，決不食言，他懷著多年來受盡中傷、抹黑、傷痕累累的靈魂，勇敢站起來。

經過三個月沉思，他的詳盡規畫始告出爐。整個規畫分為三個階段，第一階段成立基金會，由親友和自己儲蓄支應。第二階段，籌設災難救助中心，擬請慕幽負責，結合宗教力量，籌募龐大經費，取之於民，用之於民。第三階段，設置心理諮詢診所，少白親自主持。計畫完稿，就寄給家棋、少慈以及慕幽等少數幾個人，請他們提供意見。

在家棋和少慈大力支助下，他向內政部申請成立了一個「百靈鳥青少年福利基金會」，從事推動貧窮孩子救濟輔導工作，他很感興趣，全心全力投注進去，成效彰著，獲得社會一致的共鳴與肯定。

媒體一再要求專訪他，他一概拒絕，他不想出風頭，只想默默做些好事。儘管這樣，人們都聽到這個基金會名字，有些好心人士也會自動自發地把善款匯進他們的專戶，這時，有位衣著樸素的婦人來拜訪他，開頭就稱讚他：

「你們基金會對社會做了不少有貢獻的事情，在這個社會需要更多像你們這樣以助人為樂的人。」婦人看了看基金會簡陋辦公場所：「先夫在世時，留下一筆錢，指定要捐給三家有成績的慈善團體，我遵照他的遺願，挑選了你們一家。」說後就掏出一張支票：「這是我們的一點心意。」

婦人隨即起身告辭，他定神一看：「壹仟萬元。」他再看，還是「壹仟萬元」，他從心底發出興奮的吶喊，他發現，這個社會壞人多，好人更多。

二年過去了，基金會業務日漸打開，有一晚他親自約了一位張里長去做幼童家庭訪問，這是一個國小二年級小孩，父母雙亡，跟拾荒老祖母相依為命，他們去的時候，大約是晚上七點鐘，街上燈火輝煌，但奇怪得很，那間破陋小木屋卻漆黑一片，他們感到詫異，屋內為什麼沒有動靜，推開虛掩的木門，里長找到開關把燈打開，看到小男孩恐懼地瑟縮在木床邊，他們心知出事，少白上前安慰小孩：

「不用怕，伯伯是來幫助你的，你為——」

他話還沒有說完，看到老太太整個人直挺挺躺在床上。張里長趕緊上前，用指頭測探她的鼻息，輕聲低嘆：「走了！」

小男孩聽到走了，不斷哭泣發抖：「奶奶走了，奶奶，她為什麼走了，我要跟她一塊走，——」

少白難過極了，蹬下來抱著小孩：「我們會照顧你，里長叔叔會幫你忙。」

小孩茫然地望著少白，他還不知道老奶奶因心肌梗塞去世，沒有了爹娘，又失去一個最最疼他的親人，叫他怎能不傷心？

看到這幕慘絕人寰的情景，加重了他的責任感，他幾經挫折，幾經摸索，才走對路，這個世上有太多這樣孤兒，他們太可憐，需要愛和溫暖，個人雖能力有限，必須盡力去做。愛孩子是愛，愛女人也是愛，他要化小愛為大愛，把愛的心燈點亮。

業務順利拓展，雖然有兩位工讀生幫忙，還是忙不過來。於是，他公開招考，進用了一位秘書長——賈柔爾，柔爾個性爽朗，急公好義，長得不漂亮，一副「男人婆」模樣，跟她姓名恰恰相反，能幹，熱忱，善於人際關係，是他後半生最得力助手，家庭環境不差，並不計較酬勞多寡。

不料，當他工作正開展很稱心如意時候，他竟然罹患大腸癌，這突來的晴天霹靂，把他轟得又失去了強烈鬥志和企圖心，他開始把重要工作都移交給柔爾全權處理，柔爾二話不說就承擔下來，就在這個時候，政府文化機構看上他們這個幹勁十足的人民團體，委託他們安排接待一個將由美國波士頓來台公演的著名慈善歌唱團，一團三十七人，團長是知名聲樂家蘇菲亞博士（Dr. Sophia），柔爾網羅了六個志同道合老友，共同來策畫這個艱巨任務，為了讓遠道前來的表演成員，能夠留下美好回憶，他們規畫做得很周延，每一個環節都環環相扣，公演的晚上，在台北最富麗堂皇的翔雲音樂廳拉開序幕，當晚座無虛席，少白抱病參加，坐在部長右側第三個位子上，會場美得令人心醉，無疑是一場超水準的音樂盛宴。

當晚，由文化部李部長擔任主席，他簡短致詞後，精彩節目就一個接一個地呈現在聽眾面前，團長蘇菲亞雍容華貴，體態略顯肥胖，她鎮定登台，高唱二首莫扎特「試情記」和普契尼「蝴蝶夫人」，音質優美，氣勢驚人，聽眾如癡如醉狂叫「好」，過了半個鐘頭，她又出現在舞台中央，聽眾紛紛起立，應聽眾歡呼的要求，加唱了一首中文歌「一樣的月光」，洋溢著無瑕可擊的風格，在如雷的掌聲中畫上了句點，她成功了。演唱會結束後，蘇菲亞在舞台後面略作休息，這時聽眾逐漸散去，她趕緊緩步走到台下來向李部長及貴賓們致謝，隨後又走到少白跟前，驚訝地高喊：

「老師，您是龔少白教授？」

少白起身錯愕表示：

「我是少白，妳是——」

「我，我是胡依亭，曾經到過您的家。」

「哦！是妳！」他停頓一忽說：「妳變了樣子，比以前稍微胖了一點。」

「老師也變了，變得瘦了很多，但是，我還認得。」

少白淡淡苦笑：「恭喜妳，演出很成功。」

「謝謝老師的鼓勵。」她揚了一下眉梢：「改天去看老師。」

「不！」少白面露倦態，虛弱地說：「我近來身體不好，妳有任何需要，不要客氣，可以請賈秘書長幫忙。」隨後他跟依亭握手告別，頭也不回直走出去，依亭愕在那兒，望著少白虛脫身架，縱使有再多恨意，也在剎那間煙消雲散，她發現少白雖然給她重重一擊，可是如果沒有那一椎心刺骨的一擊，今晚就沒有機會站在這個舞台上，她心情很複雜，用手撫弄了一下髮絲，在柔爾催促下，準備乘車回飯店去。

在車上，她沒有跟柔爾細談，她不斷回憶，不斷沉思，滿腦瀰漫著舊日的情懷，網不住凋零的感傷，如煙似霧般在她心海中浮沉。到了飯店，她向柔爾道謝，逕自奔向房間，她撲在床上，一時萬念傾瀉，千愁鬱結，心中愛很多，不知該愛誰；心中恨很滿，不知該恨誰；一生奔波堆積一片迷惘的空白，想著，想著，頭痛，心也痛，緊緊抱著絲枕，讓淚水痛苦地奔流。

哭著，哭著，她很疲倦，沒有睡著，反而更加清醒，她站起來，打開冰箱，取出一小瓶威士忌烈酒，滿滿倒了一杯，握著酒杯，走近陽台，她把烈酒直灌下肚，她遠眺燦爛的燈火，夜真美，也很寧靜，她心想，人生本來是美好的，幹嘛把它醜化，龔老師沒有錯，她也沒有錯，只是一時太過衝動而已，甩掉一切醜惡的記憶，重新檢驗人生價值，月亮很美，太陽一定也很美，明天，明天她要活得比現在開心。

她想通了，不想去打擾少白，在台北渡過忙碌的十二天，柔爾是很貼心的女孩子，幫她很多忙，臨別時，親自到機場送行，還送她二大包台灣名產，進關時，柔爾遞給她一封信，告訴她是龔理事長給她的，請她登機坐定後再看，她知道龔老師一定有一番特別心意，她原封不動地塞進手提包裡，登機後，她繫好安全帶，迫不及待地拆開信封，在雪白信箋上留下一片密密麻麻的漂亮字眼：

依亭：

能夠再見到妳，是我畢生最大的喜悅與安慰。妳變得很有教養，很有靈氣，使我有了更多不安和內疚。多年來，我毫無成就，或許是上天給我的懲罰，我不埋怨任何人，應該埋怨的是我自己。

妳的台風很穩健，唱得出神入化，扣人心弦，妳卓越的表現，讓我分享了妳的榮耀和驕傲，但願妳能鍥而不捨的努力，在音樂殿堂留下不朽的盛名。我已經是一個糟老頭，請原諒我過去對妳的傷害，我發現妳是一個強者，懂得在挫折中力爭上游，用智慧化解自己的困擾，把生命修補得像柔柔的詩篇，我誠心的祝福，祝福妳在通往成功的幽徑尋覓到幸福的泉源。

我有一個外甥，名叫宋孝莊，洋名安東尼（Anthony），久住芝加哥，是道地的美籍華裔，父母雙亡，經商致富，文學造詣巒深，有空路過該地，不妨去探望他，相信他會給妳很大幫忙，他的詳細地址和電話號碼附在後面。

祝福妳，永遠快樂！

少白 書於燈下

看完信，依亭整理了一下思緒，知道少白用心良苦，但她還沒有這個意願，因為她工作太忙，不想再去尋找額外煩惱，身邊有不少追求她的人，她心靜如水，已激不起太大浪花，回到波士頓，剛剛喘一口氣，又接到維也納方面的邀約函，結果忙裡忙外，一晃又是一年三個月。有一天，她因要事要到芝城一趟，想起少白給她的信，她從抽屜中把它翻了出來，信手撥了對方電話，他們很快就聯繫上，孝莊很高興接到電話，表示會好好接待她，請她吃一頓當地頂尖墨西哥牛排，孝莊在家裡等待她，當他們碰面時，依亭很訝異衝口而出：「你簡直是龔教授翻版。」

「怎麼，大家都說我像大舅，我不信，原來真的這樣像。」

「太像，太像，人家說外甥像娘舅，今天，我才開了眼界。」他們相視大笑不停。孝莊帶她參觀了自己庭園和起居間，他們一見如故，聊得很投機，堪稱「緣訂三生」。這次見面，他們感情迅速飆漲，依亭終於明白龔老師的一片苦心，他很想給她一點補償，他猜想依亭會喜歡他，依亭必定會看上孝莊，孝莊萬事皆備，只欠東風，他們密集往來半年就兩心相許，墜入情網，他們決定在美國結婚，再回台灣宴客，回到台灣才知道少白罹患初期大腸癌，經化療後，頭髮逐漸脫落，益顯枯瘦蒼老，不願見客。幸好現代醫術發達，再加柔爾悉心照顧，復原很快，心情仍然惡劣，跌入谷底。

他有罪惡感，又善於自我解嘲，經常懊惱、慚愧、內疚、心虛、膽怯，卻又周而復始地超越紅線。按理說，他受過良好教育，不會一錯再錯，作繭自縛，或許天生儀表出眾，經不起異性致命吸引力，才會一再凌辱異性。這場大病，增強了他佈施眾生的決心。

依亭暗戀的是少白，孝莊雖然與少白神似，但畢竟不是少白，無法取代少白。在她潛意識裡，少白的神采、風範、氣質、談吐，都是獨一無二的，他們婚姻能夠維持多久，她自己也很茫然。少白已心無旁騖，全神投注在救濟事務上，她追求目標才剛剛起步，那有心情去搞男女關係。不過，他一生跟「情」結下不解之緣，自己情絲可以切斷，還得幫旁人清理情絲。

二

應慧靈邀請，少慈獨自回到台灣，兩個孩子交由婆婆照顧。機票由慧靈出，住在慧靈家，少慈感到不好意思，慧靈偷偷告訴她：「我現在是小富婆。」

慧靈有一個坎坷身世，生下來就是殘廢人，父母對她有內疚，把她照顧得無微不至，十年前，母親去世，年前父親又在一場空難中喪生，領了一大筆賠償金，她穿著簡樸，生活節儉，別人看不出她的經濟實力，父母在天母留給她一棟廿七坪小公寓，她任職一家私人公司，日子過得不好不壞，自卑、好勝，滿腦胡思亂想，喜歡打聽別人隱私，自稱「小飛俠」。唯一缺憾，就是沒有男孩追求她，她對愛情充滿瑰麗憧憬。

慧靈另外有一位很要好女同事婉儀，不久發生婚變，帶著女兒茵河暫住她的家裡，少慈在她家裡，認識了婉儀，婉儀清新脫俗，美人肧子，眉宇間有揮不去的憂愁，她們三個人個性相似，愛靜，愛談心，少慈好喜歡婉儀，覺得她是一個可以深交的朋友。不過她很好奇，婉儀是不是因為婚姻失焦，才心事重重。週日，慧靈請少慈上烏來溫泉泡湯，談到婉儀，慧靈就火冒三丈：

「男人沒有好東西，太欺侮人！」

「怎麼說？」少慈不解地問。

烏來溫泉舉國聞名，她們泡在不冷不熱的水池裡，混身舒暢，慧靈在少慈面前，沒有絲毫拘束感，摸著自己乾癟的殘肢，娓娓細訴婉儀一段刻骨銘心的羅曼史。

故事鏡頭從荒野山丘慢慢拉開，放大。——

颯颯的風，瀟瀟的雨，郊外有冷冷的寒意。

這是一片荒蕪的墳地，野花密集，野草叢生，守墓的人也許早已經無聲無息地躺在這塊泥土上，只有幾隻小雲雀在那兒跳躍，偶爾交頭接耳地喃喃細語，不知道是憂傷這些凋零的世事？抑或憑弔這些入土的亡靈？

雨點已逐漸縮小，但，風刮得愈來愈大，這兒充滿著荒野空寂的氣息。婉儀披著一襲黑色的素裝，站在那堆高凸的墳頭前，她眼中盈溢著太多的淚水，心靈中流塞著過份的悲哀，她呆呆地站著很久，想念她那已經靜靜安息在這兒的爸爸。突然，她淚水奔放，掩面嚎啕痛哭起來。對的，她應該哭，因為爸爸生前太喜歡她，給過她比誰都多的愛，如果爸爸在世，絕不會讓她受飢、受寒，受盡人世的酸楚。現在，在這個世界上，只剩下她和媽二個人，尤其，媽終年多病，讓她馱負起一份不是二十歲少女所能承受的責任。慢慢地，她依稀又聽到爸爸慈祥的聲音，又看到爸爸迷矇的臉龐。啊！爸爸，您回來吧！回到我們身邊吧！

她哭得非常淒涼，大地也變得更加陰暗。在這深秋的時分裡，使沉凝的氣氛裡，感染著更多的落寞。

往年的今天，她總陪著媽媽和三舅一塊來這兒掃墓。可是，今年不同了，媽躺在病床上，三舅又離開南部到大陸去做事。今天，是爸爸的七週年忌辰，所以，她孤單地來了。

她在爸爸墳頭上獻上一束鮮花，她用嫩手拔掉墳旁的那堆粗長的野草，她摸著那塊褪色的墓碑，她彷佛摸到爸爸粗壯的臂膀，更彷佛爸爸在冥冥中給她一股力量和信念，使她跌倒了又爬起來，使她感覺到生命中另一種輝煌的潛在意識。爸爸那種凜然不可侵犯的性格，把她塑雕成一個剛毅堅定的時代女性，她從不哀求別人，也不會向人訴苦，這幾年來，她一直在向環境搏鬥，在黑暗中摸索著生命那鏗鏘的音符，她，她的確是一個很有志氣的女孩子。

今天，站在爸爸的靈前，她要把心中的鬱悒儘情地傾瀉。她哭，她要哭，她要哭出七年來積壓在心底中全部的感情。她相信一生中只有爸爸最疼她，最了解她，她太懷念爸爸了。那樣耿直敦厚的好人，為什麼會死得那樣早，走得那樣快呢？

她在這兒已經呆了很久，實在感到相當疲憊，坐在墓地的草坪上，她忽然發覺大地逐漸深沉，雨不知道幾時已經停止了，風仍然怒吼著，於是，她再環顧四野，油然有點膽怯，此刻，她才意識到是回去的時候了。

她揩乾哭，整整衣裳，就在蒼茫的暮色中，踏向歸程。

在這塊墓地上，殘花、枯葉、斷碑、碎石，交織成一片蕭條、死寂，與寥落的景象。使每一個掃墓人的心靈上，塗抹上更大、更深、更濃的空虛。

婉儀，空虛極了。

她走著，走著，好像後面有人在跟蹤一樣，心裡更加恐慌起來，她不敢回頭，半閉著眼睛，直往前面衝去，一個不小心，她的左腳絆到一塊石頭，使她摔了一個大跤，她猛然感覺到腿部發麻，腳跟竟然抽筋了，她用力地掙扎，想把身子支撐起來，她憑著觸覺與靈感，感覺背後好像有一隻怪手要伸過來，這時候，她聽到男人的聲音：

「小姐，讓我扶妳。」

「呀！」她驚懼地叫了起來，身體本能地向後微傾，猛回頭注視著對方：「你是誰？」

「別怕，小姐。我也是來掃墓的——」男的看到婉儀顫悸的神情，很溫和地安慰她。

然而，她心中仍然充滿了疑竇與恐懼，她總以為遇到鬼怪，好在眼前的這位男孩，衣冠整整，外表俊雅，不過，這一切仍然無法袪除她心靈上難以解脫的陰影，她沒有答腔，也不再追問。她急急地掙扎起來，咬著牙根，一跛一跛地前進。沒走幾步，她實在走不動了，但是，男的還跟在旁邊，她有心無意地用眼睛餘光再偷看男的一眼，她現在看清楚，男的實在是一個文質彬彬的美少年，似乎沒她想像中那樣可怕，顯然使她放心不少，當男的再度攙扶她的時候，她已不再拒絕了。

「小姐，你一定以為遇鬼了，千萬放心，我不是壞人，更不是鬼。」男的好像已看出她心裡的感應，替她打一針安慰劑，然後，他又補充說道：「我是來奠祭亡母的，剛才我在山丘盡頭處，遠遠就看到妳，因為我們素不相識，所以，沒來驚動妳。」

「哦！」婉儀哦了一聲，沉默久久，又開腔了：「我為什麼剛才沒看到你？」

「我想大概因為野草長得太高了，遮住妳的視線，所以看不到我。」男的想盡辦法解釋婉儀心中的疑惑。

婉儀又沉默了，很久，很久。

突然，婉儀摔開男的手，厲聲地說：

「別碰我，我自己會走！」

「小姐，妳別光火，我無意傷害妳的，不要對我存有太多的懷疑，妳要信任自己，也要信任別人。」男的被婉儀這種突如其來的動作，弄得有點不開心，含著教訓的口吻又說下去：「我扶妳，只是因為在這個荒野上，對于一個負傷的人，我必須這樣做。」

婉儀沒有回應，冷冷的，臉部表情很嚴肅。

「小姐，既然妳怕我打擾，那麼，恕我先走了。」男的了解婉儀心理上受著嚴重恐怖的威脅。所以，仍然很有禮貌地向婉儀欠了欠身，匆匆地走去。

婉儀有點後悔，很想喊他回來，可是，可是她怎能這樣做呢？她急急跟在後頭，現在，她惟一能想到的，就是儘快回到家裡。

黃昏的烏雲已撤下灰沉的夜色，夜，醉了，靜靜地綣伏在牆角裡，屋簷中、小樓上。——

不久，她們二個人，一前一後地走進了鬧區，男的和婉儀距離愈來愈遠，幾個轉彎後，婉儀就再看不到他了，婉儀如釋重負，輕輕地鬆了一口氣，但是，好像又有一種沒有了卻的事情重重壓在她的心版上。

對於剛才那位男的，不知道是歉意，還是感激，她總覺得在感情與思想上又多了一個結。

她又覺得好笑，像這種事情還值得她想得那麼多，她笑笑，那樣滑稽。

一忽兒，她回到家裡，已經是晚上六點過四十三分了，媽還睜著大大的眼睛在等她回來。

「婉兒，怎麼這樣晚才回來，我真不放心。」老人家若有所思地問道：「妳爸的墳墓周圍還整潔嗎？」

婉儀不敢直說，只是點點頭：「好久沒上爸的墓，所以多呆了一忽。」婉儀接著又說：「媽，累您老人家久等了。您還沒有吃飯，我趕快去弄點吃的，很快就會好的。」

「別擔心我，快點煮也好，你也該吃點東西了。」

婉儀對於烹飪很有專長，很快就端上了，在桌上，母女談得很少，大家心裡都有不同的感觸，上帝給予他們的，實在是一份不太公平的待遇。

夜裡，婉儀一直無法入眠，她懷念爸爸生前的愛，她憂慮媽媽難醫的病。奇怪得很，她的腦海裡有時也會湧現出那個男孩子模模糊糊的影子。也許那個男孩子出現得太唐突、太神奇、太微妙了。

初冬的季節，冷冷清清，婉儀想得很多，心裡感到更冰、更涼，她緊緊抱著枕頭，恍恍惚惚地邁過夢鄉。……

往後的日子裡，她已不再記起那個男孩子的樣子，因為他投在她心中的印影畢竟太淡，也太淺了。

消逝了，那灰色的晚冬。

八十九天長長的日子，就輕巧地溜得了無痕跡，媽媽的病顯然有點起色，這是婉儀最感到欣慰的一件事情。

婉儀在一家頗具規模的工廠充當助理會計，雖然她只有高商畢業，不過，她守份、盡責、誠懇、好學，因此，她在這兒整整呆了七年，備受老闆和同事的器重與愛護，她勤勞的工作，使她獲得了一份較高的薪酬。

有一天早晨，她照例在辦公室整理賬簿，忽然有人推門進來，進來的是一個瘦長的男孩。當他們四目接觸的時候，幾乎都要從心底發出驚訝的呼喊——。

在她這間小小的辦公室內，只有六個人，桌子是梯形式排列，主任坐在最後面，除他是男性外，其餘清一色是女孩子。

婉儀的主任從椅上站了起來，很興奮說：

「少佐，好久不見，聽說你調到香港去工作？」

「是的，最近又調回來！」

「哦，看到老朋友太高興了。」主任握著少佐的手，拉了一張椅子讓他坐下，他們寒喧了幾句，主任靠近少佐，悄悄問道：

「少佐，你認識董小姐？還是——」

「董小姐？」少佐楞楞地反問：「那一位？」

「噫，你還裝蒜！」主任神秘地笑了一聲：「你剛才進來不是一直在瞧著她嗎？」

「哦，益齡，您是說您們辦公室裏這位穿藍衣裳的小姐？」少佐很坦誠回答：「不錯，我見過她一面。」

「那你們好像沒打招呼？」益齡好奇心很重。

少佐只好把經過情形簡單說了一遍，益齡又爽朗大笑起來：「有緣，有緣。」

辦公室四位女同事都不約而同地轉過頭來看著婉儀，大家交換了一個會心的微笑。只有婉儀低著頭，在她略呈蒼鬱的臉蛋上湧現出幾絲玫瑰的殷暈。

「來，我給你們正式介紹一下。」益齡一向爽朗，以他這種性格似乎不太適合幹會計這一行，好在他粗中有細，五位女同事都很尊敬他：「婉儀，請過來。」他的座位很靠近婉儀，所以只要稍稍提高嗓子，婉儀就能聽到。

「嚴主任，什麼事？」婉儀很不自然地走上前來，臉上有更透熟的紅。

「妳見過龔先生是嗎？他是我大學裡低二班同學，不過，我們曾經住在同一個寢室。」益齡又指婉儀對少佐介紹：「這位是董婉儀小姐。」

少佐離開座位，站著向婉儀點了點頭。

婉儀正想退下去，益齡又補上一句：「妳上次不是說要補習英文嗎？龔先生是洋博士，妳可以請教他。」

她顯得嬌羞萬分說：「龔先生，以後要向您討教了。」

「不敢，不敢。」少佐話剛說完，婉儀已返身走回到右前角靠牆的那張桌子去。

女同事的調侃笑容，把婉儀的臉薰染得更為紅潤。

婉儀狠狠地瞪她們一眼。她彷然看到四張逗人的鬼臉，婉儀也啞然失笑了。

笑聲中，她看到主任送走客人。

婉儀的家座落在這通往山邊的小徑上，屋後有一條小溪，越過小溪就是一個小山坡。

她常常站在這個小坡上眺望景色，這天是晴朗的清晨，婉儀孤獨地靠在坡上的小樹旁，放眼望去，天上的雲彩，像一張動人的畫面，由各種不同的顏色揉綴著。那網線，那筆觸，輕盈盈的，柔舒舒的，朝著那遠遠的空白，重重地拋出，宛如一條折斷的彩帶繞著那山腰扭曲地浮動。須臾之間，在那碧翠欲滴的山峰透出一輪紅日，那金色的朝輝，替嬌巧的嫩枝、青藍的細草，都鍍上了鱗鱗的金光。

那是最美的世界，出奇的美。

露珠，含羞地笑了。

婉儀，心靈也笑了。

當她正想返回家裏時候，她看到迎面走來一個大男孩！

「婉儀，我知道妳在這兒。」

「你還不上學去？書凱，不會遲到嗎？」她一聽這聲音，就知道是婉儀，書凱是她房東鐘老先生的獨生子，就讀A大土木工程系，已經是四年級學生了，他一直很關心她，事實上，他們的愛苗早已萌芽。

書凱是一個很忠厚上進的青年，他對婉儀照顧得細心又周到。因為他功課很忙，很少回家，所以，他和婉儀相聚時間不多，婉儀現在住的這間小房子，是向書凱爸爸租來的，書凱的爸是一個大富商，也是一位慈善家，房地產很多，他很同情婉儀母女，所以，這間房子租金極為低廉，尤其：當鐘老先生知道自己兒子愛上婉儀以後，幾乎已把婉儀當作自己人了。

儘管書凱並不英俊，但他很有人緣，在學校裏，是一位很受歡迎的人，因為他的功課好，而且樂善好施，他從不主動參加任何活動，可是他一直是班上領導人物。

他和婉儀的感情是靠時間培養出來的，他給別人的第一個印象是老成持重，容易討好上年紀的人，難怪婉儀的媽媽特別喜歡他。

書凱個子粗壯，可惜不夠高大，如果婉儀穿上三寸的高跟鞋，還比他高出半個頭，不過，這一切都不足影響他們之間的感情。最遺憾的，還是上次婉儀去掃墓時，剛巧碰到他月考，所以，留下了一個感情的破綢。

似乎書凱早已察覺到婉儀情緒不寧，因此，他很關切問道：

「婉儀，最近身體不舒服嗎？」

「沒什麼。」婉儀笑笑。

「要我陪妳去看看醫生？」書凱的體貼，加深了婉儀的內疚。

她知道很清楚，書凱這種男孩子，是可以寄托終生的。不過，書凱的學業還沒有告一個段落，何況他們的感情接近成熟的階段還有一個很長的距離。不過，如果書凱將來有這個意思，她相信自己不會拒絕的。

站在書凱的身邊，她覺得沒有任何理由再去想到其他男孩子，然而，少佐那雙狡黠而挑逗的眼神，總在她腦海裏閃熠。

她知道那是不可能的事情，因為她已經擁有書凱的愛，一份完完整整的愛。

她有自知之明，她還有什麼企求呢？

她絕不是隨便的女孩子，難道，她能夠做隨便的事情嗎？

「我一定要把他忘掉！」她內心一直在這樣吶喊。

「婉儀，妳有什麼困難儘管對我說，請相信我，我會盡所有的努力來幫助妳的。」書凱說。

「別瞎猜，書凱，我沒什麼困難，我一點困難也沒有。」婉儀說得很堅定。

「那我就放心了。」書凱的眉梢逐漸開朗起來。

書凱對婉儀的愛，是至聖至美的，他把婉儀當作一座神像，從來沒有一絲一毫超越男女界限的思想和行為。他們的感情，完全是心靈與心靈默契的融合，那麼純潔，純潔得像一塊纖塵不染的璧玉。

「婉儀，你瞧，早晨多美。」

「是的，比夢還美！」

「夢是虛幻的，早晨的景象是真實的，真實的當然要比虛幻的親切和美感。」當婉儀自己說出這句話的一剎，她驟然感覺到書凱那份感情真實得可貴，她情不自禁地走近書凱。柔情萬千的低喚：

「書凱——」

「婉儀——」書凱也趨前一步，眼中浮掠著感情的淚光。

書凱拉起婉儀的手，婉儀顫抖地跌入他的懷裡，書凱的臉緊緊貼在婉儀的臉上，當他的唇沿著婉儀的面頰滑過嘴角的時候，他瘋狂地擁吻著她。

她沒有掙扎，柔馴地，喘息著，順著去勢用雙手環繞著書凱的背部，攬得緊緊的。

當他們分開的時候，臉上都飾滿了幸福的光澤。

牽著手，他們滑下山坡。

週末，照例是休假的，不過，這天益齡獨留婉儀在廠裏加班，大約四點鐘時分，少佐也來了，他穿著一件天藍色長袍，圍著一條米黃色的長巾，那飄逸的神采，猶如一陣薰風，吹得婉儀心湖中浮揚起無數的微波。

婉儀很怕跟少佐接觸，她知道控制不住自己的感情，因此，他和少佐打了一個招呼，就向益齡請示：「主任，這些賬簿整理得差不多了，還剩下一點留著明早再做好嗎？」

「哦！」益齡悠悠地說：「那妳為什麼不把它趕完呢？」

「因為我下午還有點事等著去辦。」婉儀窘窘的答辯。

「事情不太重要吧！」益齡沒等婉儀答覆，就命令式地直嚷：「不，不，還是把它趕完再說。」

婉儀不敢再頂撞，只好硬著頭皮繼續加班，好在少佐是一個很風趣的人，他的談吐常常引起益齡和婉儀共鳴的笑聲，因此，九十分鐘的時間都在愉快的氣氛中滑過。

益齡伸了一下懶腰，收拾起桌上文件，很輕鬆說：

「時間真不夠用，少佐，你看，又五點三十分了，喂，婉儀，停了，停了，我請你們一塊去吃一個便飯。」

「主任，我要回家了，母親等著我哩。」婉儀找出許多要早回家的理由。

「不會的，妳以前也不是從來沒有加過晚班的，妳如果怕挨罵，等會我送妳回去對妳母親解釋好了。」

婉儀還想婉拒，但少佐卻插嘴了。

「嚴主任是有名猶太，能夠請妳吃飯，算是最大光榮，如果妳今晚不賞光，看樣子我要喝西北風了。」

婉儀忍不住噗嗤一笑，益齡連聲喊道：

「走，走，走——」

在飯館裏，大家吃得很開心。

少佐小心翼翼地侍候婉儀，一派紳士的風範。

飯後，少佐提議去看電影，他說：

「剛才益齡兄替我們填滿了肚子，現在，餘興節目該由我主持了，我請您們看——『誰來晚餐』，怎麼樣？」

「好，好。」益齡馬上贊同，但婉儀卻持相反的意見：

「您們二位去看吧！原諒我失陪了。」

「那怎麼行。」少佐說：「妳這樣太不給嚴主任面子。」

婉儀是一個顧慮太多的人，她做任何事情常常感到——「不好意思」，「不好意思」是她的人生哲學，而這種哲學使她做錯了很多事情。

終於，他們去看了一場電影，在電影院裏大家都全神貫注在銀幕上，因此，在這個時空裏有一段很長的沉默。

這天晚上，當然由少佐送婉儀回家，他們招了一輛計程車，在快到婉儀家附近就停了下來。這條路太靜了，雖然婉儀很不願意讓少佐送到家的門口，不過，在這樣靜，這樣晚的路上，實在需要一位男伴，所以，她沒有表示什麼，大家靜靜走著。雖然彼此都看不到對方的表情，不過，彼此的心和腦都有著很複雜的感應。

當快到婉儀家門口的時候，少佐很懇切地徵求婉儀的同意：

「這一帶的景色太美了，董小姐，能允許我冒昧的請求，再陪我在那座小山丘上逗留十分鐘好嗎？」

婉儀想說點什麼似的，但又嚥了下去，頭淡淡點了一下。

夜像熟睡的少女，透過那澈白晶瑩的月輝，裸露著它聖潔的膚體，放縱地沉汏在沙石和綠茵舖陳的床架上，少佐和婉儀全身浴在月光裏，走在小徑上，彷如走在長長的瀑布上，那塊瀑布越走越長，一直走到他們坐在一片青草上。

他們的影子投射在地面上，顯得有一種朦朧的美，像普普藝術家的筆觸，也像抽象派的油彩畫。印在地面的二條黑影，始終距離很遠，但一直保持著同樣的姿態，只有微微的夜風，吹來了這一帶小屋裡寥寥落落的犬吠聲。——

「這種景色最容易培養寫作的靈感。」少佐好像對婉儀說話，又好像自言自語。

「聽你口氣，龔先生——」婉儀很敏銳地覺察到：「你大概是一位詩人。」

「不，我不是詩人。」少佐更正說：「我喜歡寫些小說消遣罷了。」

「你的作品可以讓我拜讀拜讀嗎？」婉儀無意中竟脫口說出這句話來。

「我的文章還不成熟，不過，妳如果有興趣的話，妳可以在報章雜誌上看到。」

「你發表文章，是用真名，還是筆名？」

「多用筆名。」

「可以告訴我，你的筆名！」

「秋水。」

「秋水？啊，原來你就是秋水。」婉儀失態地喊了起來。

「怎麼？董小姐。」少佐癡癡地凝視婉儀。

「我看過您的一部小說——『空白的迷惘』，寫得太好了，感動得使我流下不少眼淚，不過，您把書中女主角康玲的結局寫得太悲慘了。」

「那僅是一種憑空的構想，悲劇的題材也許容易討好讀者。」少佐問：「董小姐，您也喜歡寫作？」

「我沒有這份才情，我只是喜歡看看。」婉儀隨手拾起一片枯葉，用手輕輕拂去葉面的灰塵：「我比較喜歡音樂。」

「妳一定對音樂很有造詣。」

「談不上造詣，興趣比較濃厚而已。」

「您喜歡那些音樂家，或者他的作品？」

「我沒有特殊的偶像，我欣賞柴可夫斯基的『悲愴交響曲』，憂鬱而幽邃；我喜歡史特勞斯的『藍色多瑙河』，雋靈而婉約；我愛聽『聖母頌』、『夢幻曲』，我也崇拜威柏、海頓、莫扎特、貝多芬、孟德爾遜。……我偏愛音樂，常常獨自沉醉在美妙的旋律裏。」婉儀一生中唯一的嗜好，就是音樂，因此，談到音樂，她就如數家珍，猶如黃河氾濫，一瀉千里。

當她正說得神迷心醉，韻味無窮的時候，突然，樹梢中有一隻黑鳥驚鳴地掠過夜空，她趕緊跳了起來，連連說道：

「糟了，糟了，這樣晚，母親又要不放心了。」

走到門口，少佐高雅而溫存說：

「今晚，感謝妳陪伴我渡過一個難忘的時光，改天有好的音樂演奏會，我請妳去欣賞。」

婉儀笑笑，瞬刻間，整個身影消失在那兩片薄薄的綠門後。

風很大，但吹來了少佐幻覺中最瑰麗的靈感，那種靈感，使少佐拾起了生命中飛揚的力量。

在逝去的三十二個年華裡，少佐在感情上沒有留下絲毫可以重溫的陳跡，他曾經認識過不少女孩子，但是，他一向是開著感情的大門，讓她們主動地進來，又讓她們自由地走去，他沒有想捉住任何一點，因為任何一點都不值得他去捉住，他有滿腔的熱火，他想燃燒整個宇宙，可是，他從來沒有燃燒過一張薄紙，甚至一根細線。

他把感情分為好幾種，對於真實的愛情卻是很珍惜的，但是，在今天晚上他開始付出了小小的一部份。

在路上，他吹著口哨，在哨音中激盪著他發自心底的豐富感情。

八月，不是雨季，但一連六天的豪雨，把南部淋得像一個澤國，難得星期天出了一個大太陽，婉儀在家裏忙著清洗髒東西，書凱一早也趕來幫忙，婉儀的媽已能起來走動，她倚在石柱邊對他們說：

「書凱，你歇歇吧，洗個手，等會吃飯，婉儀也該去買菜了。」

「是的，書凱，你先去洗手，我把這鍋子洗完，就去買菜。」婉儀用手輕輕推著書凱。

「買菜，我陪妳去。」書凱轉身對婉儀媽說：「伯母，您該去休息了，買菜、燒飯，我是專家。」

婉儀媽開懷大笑：「好，好，瞧你的。」

婉儀對書凱遞了一個鬼臉說：「沒想到我們鍾少爺也會燒飯煮菜哩！」

「嗯，妳別瞧不起我，紅燒魚和炒牛肉絲是我拿手名菜，不信，妳今天嚐嚐我鍾少爺家傳……」

「好了，好了。」婉儀也忍不住嬌笑：「今天看你的了。」

「走，現在就去。」書凱站了起來，把鍋子搬進了廚房。

在市場裏，書凱搶著付錢，結果買了一大堆菜回來。

今天，書凱升為紅案名師，婉儀卻降為打什幫手。

看過去，書凱對於燒菜確有天份，色香味俱全。

當他們正忙著燒菜時候，婉儀來了兩位好朋友——陸雅瑩和朱蓓荷。

雅瑩也在A大讀書，蓓荷已經出嫁，但新婚未久。

婉儀出去招待她們，書凱在廚房忙得團團轉，鍾少爺在家裏從來沒有進過廚房，只是聽鍾老太太講過一些烹調技巧，現在第一次顯露身手，自然感到相當吃力。

「雅瑩，蓓荷，妳們請坐坐，我去廚房燒菜，馬上出來。」婉儀端上二杯茶，急著去幫書凱忙。

「不，婉儀，我們要走了！」她們幾乎同聲這樣表示。

「死鬼，剛來就要走，別忙，告訴妳——」婉儀很嬌媚地揚了揚眉梢：「妳們不是想見見鍾書凱嗎？他現在正在燒飯，今天妳們可以嚐嚐他的名菜了。……」

「鍾學長，哦，現在變成妳們董家的名廚了。」雅瑩是一個很機智而富幽默感的女孩子，在學校裏頗為活躍，是出色的籃球隊員。

「傻丫頭，這叫做準新郎勇過第一關。」蓓荷年齡較大，她們都尊她為大姐，雖然已經結婚，但仍然一臉孩子氣，她說完這句話，又伸了一個舌頭，悄悄問：

「婉儀，妳媽聽不見嗎？」

「聽得見或者聽不見都沒關係，不過——」婉儀說：「妳該罰打三百大板。」

大家都哈哈大笑，婉儀轉向廚房走去。

午餐時，婉儀媽一再稱讚書凱能幹，雅瑩和蓓荷不斷地陪著笑臉，書凱在生人面前一向不太喜歡講話，埋著頭大吃一頓，桌面除碗碟聲音外，幾乎聽不到一點雜響。這時還是蓓荷開口了：

「伯母，近來您的氣色不錯，看來身體比以前好多了。」

「是，好多了，飯量也增加不少。」婉儀媽說：「今天尤其好，是書凱燒的好菜。——」

「伯母，您過獎了！」書凱看雅瑩和蓓荷偷偷在笑，實在有點不好意思。

「學長，你們工學院學生好像都比較保守。」雅瑩話中有話。

「當然啦！趕不上文學院同學那樣活潑。」書凱答。

「不過，您也太謙虛了，剛才伯母說你菜燒得好，實在燒得不錯呀！」雅瑩加重語氣說。

「這樣說，改天還得再請妳們吃一餐了。」書凱也風趣起來。

「那最好不過。」蓓荷接著就嚷：「我們有請必到。」

大家邊吃邊談，這餐飯足足吃了一個鐘頭。

大家談得很多，書凱雖然不是妙語如珠的人，不過，他的誠懇和穩健，也很能贏得別人的好感。

雅瑩也許基於同學的關係，對書凱一連串的讚美，使婉儀聽後有飄飄然的感覺。

雅瑩和書凱很少談學校的事情，當她們準備回去時候，雅瑩才說了一句內心話：

「鍾學長，我們文學院女同學好像對你們工學院男同學印象特別好。」

「這是一個最好的Information（訊息），我回去要鼓勵我們同學向妳們展開攻勢了。」

「我不是這個意思。」雅瑩急急答辯：「印象好並不表示有其他意思在裏面。」

「我知道，我知道。」書凱輕鬆調侃：「印象好，只是印象好。」

她們走後，婉儀有點不高興對書凱說：

「下次對我同學要客氣一點。」

「婉儀，我只是開開玩笑，妳何必那麼認真。」書凱的表情很逗人憐愛，婉儀也不禁心軟。隨手打開那古老的收音機，兩人依偎在長長的竹椅上。

收音機裡正播放鄧麗君的唱片，低沉沉的韻調很能抓住別人的心靈，柔切切的情意傾注在整個小屋裏，每一個音符都不斷在屋子裏迴旋，使這間破舊的小屋，頓時揚起一縷春意，這春意把他們的心都燙熱了，婉儀側過臉突然問道：

「書凱，你們學校女同學多得是，你為什麼……」

「我知道妳的意思。」書凱沒讓她說完，就用他的唇堵住了她的小嘴，像拉緊的弦突然把箭射了出去，那一股突來的猛力，使對方沒有招架的力量，婉儀像微醉的人，仰起癡癡的小臉，她沒有說話，但臉部的線條卻包含著千言和萬語。書凱把她摟得更緊，把她的長髮輕輕撇在一邊，那半邊的紅頰剛好貼在他的左肩上，躺在前房的婉儀媽顯然已經熟睡了。於是，這間小屋成了他們另一個愛情的小天地。

書凱久久又開腔了：「婉儀，我也覺得奇怪，跟妳在一起，總覺得什麼都感到滿足，生命也變得充實起來。」

「書凱，你不要把我想得太好，假如有一天不幸我們分開了……」

書凱吻了又吻婉儀，口中還不斷抱怨：「婉儀，妳不要這樣說，我最不喜歡聽這種話，我很自私，我要佔有妳全部的感情，永遠佔有妳。……」

婉儀也用左手勾著書凱的寬背，像發誓一樣說：「我不會離開你，我不會離開你。……」

「古人說：天長地久有時盡，但願我們——此情綿綿無絕期。」書凱和婉儀的臉不斷地廝磨著，都被心中的一團熱火燃燒得紅紅的，正在這個時候，傳來外面敲門聲，書凱一蹶而起，不久，書凱又走了進來，遞給婉儀一封信，婉儀接過信，連耳根都紅起來，而心卻開始微微地顫慄。……

出乎意外的，書凱沒有追問這件事情，只是很懇切說：「婉儀，我相信妳，相信妳一生都會忠於妳自己的感情，是嗎？」

婉儀連連頷首，她沒有勇氣主動提起這件事情，但她看出書凱眼中充滿了狐疑，所以，乾脆拆開這封來信，從信封裡竟滑出一張潔白的請帖。……

這是一張很精巧的音樂演奏會的入場券，是名鋼琴家司徒登的個人獨奏表演。司徒登，這個名字，婉儀經常在報章雜誌上看到，不過，她從未見過這個鋼琴家的廬山真面目，她知道他是一個很出色的演奏者，入場券的價錢很貴，顯然少佐是很珍惜她這份感情，否則，不會如此重視她對他說過的每一句話，她還記得，她上次告訴少佐她是非常愛好音樂的。少佐也說過要請她去聆聽一場好的音樂演奏會，只是她沒有想到，少佐會真得這樣做了，而且做得這樣快，快得使她心裡都來不及有準備的機會。雖然帖子裡沒有夾有任何一張便條。不過，當她眼睛接觸到信封下款「龔寄」兩個字的時候，心中就立刻忐忑跳個不停。

「這張入場券設計得挺美。」書凱爽直地說：「幾時演出？」

「十六日。」

「本月十六日？」

「是的。」婉儀把入場券又看了一下回答：「晚上七時。」

書凱沉思片刻，說：「這天晚上我剛好沒事，陪妳去聽聽也好。」

「我想……」婉儀本來想說「我想您別去了」，或者「我們不去算了」，可是她都沒有說出，因為她怕引起書凱的懷疑，因此，她很機警地轉了一個話題：「我想就這樣決定吧！」

婉儀說完了這句話，反而輕鬆多了，她心想乾脆和書凱一塊去，讓少佐知道了也好死去這條心。儘管這樣做，對少佐有點近乎殘忍，不過，除了這樣決定，她又有什麼辦法呢？

她幾乎不得不這樣做，否則她將會傷害更多的人，甚至包括她自己。

她無法操縱自己情緒的轉變，她發覺到此刻自己的感情比任何一個時候都來得脆弱，她必須讓自己清醒過來，少佐雖然對她不錯，不過，似乎沒有書凱那樣深入。捨少佐，而專情書凱，她想，那是必然的歸向。

第二天，少佐沒出她意料的打了一個電話給她，結果，她認為已用最妥切的辦法拒絕了少佐，她說：「龔先生，真感謝您寄來的入場券，讓您破費，不好意思，不過，您這番誠意我心領了。」

「那妳會去聽嗎？」

「我一定去聽，只是……」

「只是，只是什麼？」

「恕我不能陪你去。」婉儀很吃力地吐出這句話。

「沒關係，那天恐怕我也沒空去接妳。」對方毫無芥蒂說：「妳能去聽聽，我就感激不盡了。」

放下電話，婉儀感到有點迷惘，少佐真是一個令她無法捉摸的人，她惟一可以解釋的，就是少佐對她根本沒有愛意的，只怪自己自作多情罷了，想到這些尷尬的地方，她也不禁雙頰微暈起來。

從這時候開始，她更覺得自己是屬於書凱的了。

司徒登的演奏會日子終於來了，書凱一向守時，六點半就來接婉儀，婉儀這晚特別把自己打扮了一番，那淡藍色的繡花旗袍緊裹住線條突出的嬌軀，一片軟綿綿的酥胸隱藏在旗袍後面顫巍巍抖動，但她的臉是那樣光澤而平和，她的眼睛透射著甜密和智慧的光芒，她實在是一個天生的美人，她的美，美得高貴，高貴得令人不敢有什麼邪念。

書凱很驕傲地陪伴她到達會場，像一陣旋風，把四週的人都吹得抖了一下眼睛，又睜大眼睛，大家的眼睛都射在她身上，反而使她羞得混身發燙，她裝著滿不在乎的樣子，看看道路兩旁擠滿的轎車，再看看甬道和門口堆滿的鮮艷瑰麗的花籃，她知道今晚一定是一個場面盛大的演奏會。

會場佈置得富麗堂皇極了，宮燈輝碧，柱樑生春，像一座古羅馬雅緻錦繡的宮殿，簇擁著一堆又一堆的紳士淑女，輕盈盈地飄落在他們自己的座位上。

婉儀回顧四週，想在人群中搜索到一張熟悉的面孔，但是，她始終沒有找到，接著有一位女招待把他們帶領到最前排的貴賓席上，他們顯得有點侷促不安，以為女招待帶錯了席次，趕忙對了又對座位號碼，發現一點也沒錯，這時候，婉儀略有預感，懷疑少佐在玩什麼把戲，婉儀悶在心裡，沒有講話。

婉儀正想說：「書凱，我們回去吧！」但音樂的序幕已輕輕地掀起，在春雷似的掌聲中，迎出了一個年輕的鋼琴家——司徒登。

他穿著一套乳白色的大禮服，結著一個深墨色的領結，那畢挺的西服襯著一張傲慢的臉孔，在他嘴唇上展露著輕蔑的笑容，這種笑容幾乎薰醉了在場所有的少女。他舉止安祥，洒脫，洒脫得找不出一個適當的形容詞。他又像一塊磁鐵，使會場少女都變成鐵沙，緊緊地被他逸雅的臺風所吸住，吸得她們挺直了腰，伸長了脖子，睜圓了眼圈。

今晚，世界上幾乎不再有第二個人存在，只有這位少女心目中的偶像，莊嚴地站在演奏臺中央，他露出潔亮的貝齒，向四週的聽眾微微地彎腰致謝，他的眼光像閃電一樣射出，這時候，婉儀發現這雙帶電的眼睛正向自己射來，她心裡想要躲開這個視線，但自己的眼睛卻不自主地迎了上去，如同陰陽兩個電極在天空中交觸，迸出眩眼的金光，他臉上擁滿朝曦的淺笑，她也報以心靈的迴音。她立刻鎮靜下來，她知道今晚旁邊還坐著書凱，她不能讓他看出破綻，好在書凱看不到她面部的表情。

她有點恨少佐愚弄她的感情，她沒有料到少佐就是司徒登，不過，她原諒少佐，她覺得少佐這樣做，雖然故弄玄虛，但卻含蓄著更多的美感和詩意。

演奏正式開始，少佐端莊地坐在鋼琴前，他今晚演奏的盡是優美的古典樂章，包括巴哈、布拉姆斯、華格納等作品。他第一首彈出達步西的「棕髮女郎」，靈巧的指尖滑過琴盤的音韻，在幽柔的旋律中，跳躍著不可制止的生命活力。接著是孟德爾遜的「仲夏夜之夢」，最後是柴可夫斯基的「悲愴交響曲」，這是少佐最賣力表現的一首曲子，像濃濃的咖啡，傾注在每一個空乏的心靈裡，在徐徐的微風輕拂下，又淡淡地漫過去，那憂鬱得解不開的網輕飄飄網住每一個人的情感，那不是沉醉，那不是狂癡，那是沉浸在迷茫淪亡中的掙扎。少佐的十指如同魔術師一樣，輕輕地、隱隱地，彈出、縮回，又慢慢地滑過，重重地按下，輕柔處，如池塘採蓮；急切處，似萬馬奔騰；沉思、悲切、惻怨，令人迴氣盪腸。

他彈著，彈著，如無數寂寞的流星，掠過孤寥的夜空，滑落在幽邃的峽谷裡。沿著寬寬的殿堂，散發出短促的絲光，會場的聽眾卻像乾完了這杯濃郁的醉酒，臉上綻露著醉人的芬芳，當最後一個音符終止的時候，大家才從遼遠的夢境中驚醒過來。在不斷的「恩可」聲中，少佐又騰奏了二首婉約名曲——「寂寞的心」和「落日圓舞曲」，像山岩滾下的瀑布，像噴池中溢出的水珠，灑在別人的心中腦裡，涼涼的，冰冰的，使每一個人心花怒放，感情飛發，揮起了手，揚起了翅翼，在思想的太空中翱翔，越過了時空的界限，沉墜在五彩繽紛的流光裡。

演奏會在歡呼和掌聲中結束，每個人迷濛地站了起來，帶著婆娑的步伐，走出那癡狂的會場。

這是一個極其出色的演出，在整個演奏的歷程中，高潮疊起，婉儀生平第一次看到如此成功的演奏會，難怪她心中衝激著喝采的吶喊，不過，她很冷靜警惕自己，她是一個聽眾，僅僅是一個聽眾。

少佐，這個倨傲的鋼琴家，充滿詩人和藝術家氣質的司徒登先生，他一定是一個玩世不恭的人，婉儀心中一直在這樣安慰自己，因此，她竟然忘記了站在身邊發呆的書凱。

「婉儀——」書凱輕輕地拉了她一把。

她在人叢擁擠中懵然地笑了一下，然後自我解嘲說：「你瞧，這樣擠，都把我擠糊塗了。」

坐在車上，書凱握著婉儀的手，問道：

「今晚是誰請妳……」

她沒想到書凱會在這個時候問她，使她沒有一秒鐘思考餘地就脫口說出：

「就是司徒登先生。」

「我剛才也想到也許就是他。」書凱把婉儀抱得更緊，在微微顫抖的心中抖出這幾個字。

婉儀有太多歉意，像一隻小貓畏縮書凱懷裡，沒有說話，也沒有呼吸，但耳畔彷彿響徹著愛迪生那句名言：

「音樂是唯一可以縱情而不會損害道德與宗教觀念的享受。」

今晚的曲子該是洗刷她靈魂中所沾染的日常生活的塵垢，那種和諧的聲調，顯然來自一個不可見的世界的回聲。少佐沒有過錯，她自己也沒有過錯，她推開書凱，掙扎地坐起來，她茫然地望著書凱，又茫然地倚在他的肩上。

書凱想說話，但那樣靜的夜，那樣美的時光，一切都包含在無言的靜止中，他還能說些什麼？

車子繼續往前開去，坐在車上隱約地可以看到地面慘淡的月光，車身的影子在月光下瀼動，那團陰影，正密密地罩在車上一對男女的心上，誰也無法摔掉這團陰影，陰影隨著月色的隱沒愈染愈大，當車子到達終點時候，陰影完完整整地遮住了他們的臉孔、眼睛和身體，書凱握著婉儀的手，沉默得像劍，插進她凍結的思想和感情中。

「書凱，太晚了，你就坐這輛車子回去吧！」婉儀打開大門，轉頭對書凱說：「明早打一個電話給我。」

書凱坐在車上，引擎的聲音輾碎了他痛苦的心靈，他知道自己正面臨著一個考驗，一個難題，一個像夜寧靜得使人產生可怕的窒息。然而，他該怎麼做，他能怎麼做呢？

他是一個沉著冷靜的人，當然他不會隨便，或者輕易地表現出他的反抗，甚至魯莽的行動。他怕失去婉儀，會失落得空空的。

婉儀躡手躡足地潛入臥房，媽正在熟睡，她扭亮檯燈，沒有脫去衣服，坐在桌旁，雙手托腮沉思，魂靈中亮耀著三個大字：

「司徒登，司徒登，司徒登。」

突然，她站起來，走近長鏡前，她看看自己，又拉拉衣服，她覺得自己並不難看，不，應該算很美，但是，世界上美得女孩多得是，難道少佐會看上自己，想到這裡，她又頹唐地坐回椅上。

她開始解脫旗袍，她不相信像少佐這樣充滿富足的生命，能容納下她這樣渺小的影子，她發現少佐在說謊，在詐欺，在騙取她的感情。

她又想到書凱，那樣忠實的男人，那副可憐的表情，她又怎能辜負他呢？對的，明天，她想告訴書凱一百個愛他，大海的水不會流入小河，她又回書凱的身邊，書凱是多麼需要她呀！

不過，她不能了解一點，嚴主任今晚為什麼沒來？為什麼從沒提起少佐就是司徒登呢？

嚴主任是一個愛護屬僚的上司，他不會幫少佐來欺騙自己，那麼，又為了什麼呢？

她困惑了，困惑得使她迷失在一個昏沉沉的長夜裡。

她沒有想到，少佐知道她早有男友，懇求益齡幫忙，佈下這道情網，讓婉儀跌了進去，俘虜了她的感情。

少佐不是情場老手，但遇到喜歡的人，就死纏爛打的展開猛烈攻勢，婉儀已經成了不設防碉堡，在少佐密集的砲火下，完全失去了自主的能力，他和少佐交往不過三個半月，卻抵過跟書凱五年的時光，女人是不可思議的東西，一旦被男人攻破城池，從此就暢開大門，任君恣意愛憐，他們經過幾次你儂我愛的性行為，婉儀驚覺自己有了身孕，緊張得不知如何是好，好在少佐保證會娶她，只是她無法向母親和書凱交代，假期的一個週末，書凱回來，她羞愧地流淚向書凱致歉：

「我該死，我對不起你。」

「妳有自由的選擇權，我雖然難過，只要妳過得好，我就放心。」書凱早有心理準備，表現十分豁達、寬容：「我畢業後，還想繼續考研究所或出國多讀幾年書，暫時還不想成家。」

這時，婉儀母親走了出來，看到這種場面，痛哭失聲大罵：「婉儀，妳這個沒有心肝的孩子，書凱對妳這樣好，妳怎能這樣忍心放下他，叫我怎麼做人，怎麼對得起鍾伯伯。」邊說邊搥胸膛，婉儀跪在地上向母親瞌頭，拼命瞌頭：

「我去死，死了算了。」

「我們都去死，一塊去死。」母女抱頭痛哭，嚇壞了書凱，把她們扶起來，很理性說：

「死不能解決問題，大家不要衝動。」他真是一個有情有義男孩，不但沒有動怒動粗，還勸慰她們：

「婉儀有身孕，要注意身體和胎兒。」

書凱走出來，頻頻拭淚，整個臉扭曲在一起，傷心傷到了底，他沒有責難婉儀，獨自吞下所有的痛苦。

暴風雨過去了，婉儀嫁進了龔家，但，沒有想像的自由自在。

龔家在當地是赫赫有名的商人，少佐父親龔聖德經營房地產生意，輝煌騰達，為人

「阿沙力」，人緣「一級棒」。繼母就不一樣了，虛榮勢利，口善心惡，只生一女，男孩少佐不是她親生的，五專畢業後，就到維也納深造，飄逸俊朗，不輸少白。由於少白父親早逝，兩家幾乎沒有往來，少佐崇拜少白，偶爾路經台北會去探望少白，兩人感情僅屬淺交。

在龔家，婉儀像個小媳婦，一切由婆婆做主，還要看她臉色，公公倒是很疼她，常常替她化解婆媳之間齟齬，母親在她嫁後第三個月就撒手離開人世間，她對婉儀很不諒解，對書凱父子有很深歉疚，母親去世對婉儀打擊很大，幸好少佐對她關心又體貼，減輕了她不少心理負擔。

慧靈一口氣說到這兒，水氣往上升騰，熱度恰到好處，少慈聽得津津有味，卻不解問道：

「他們的事情，妳怎麼這樣清楚？」

「還不是婉儀點點滴滴告訴我。」慧靈摸摸大腿，有點不舒服，轉了一個腰，悲天憫人說：

「婉儀剛來時候，很消沉，不吃不喝，常在半夜驚醒，我安慰她，陪她談心……」

慧靈望著少慈，皺著眉心說：

「婉儀想不開，有自殺衝動，又不忍丟下女兒，她活得萬分痛苦。」

「她心甘情願選擇少佐，應該幸福才對？」少慈滿臉狐疑問。

「應該是這樣，可惜事實不是這樣。」慧靈是包打聽，對男女問題分外感興趣，把少佐家底細摸得一清二楚。

貞寧，少佐同父異母妹妹，體格粗壯，混身運動細胞，學校籃球隊前鋒，長跑健將，曾獲全縣長跑亞軍，體育組長黃教練，對她另眼看待，刻意培植，公開稱讚她潛力渾厚，將來會在全國田徑賽中大放異彩。每次比賽前，他會耐心指導她，替她搥背、按摩、擦防傷藥膏，其他選手都有點吃味。黃教練頑強霸道，說一不二，學生暗地封他一個綽號為「魔鬼教練」，他替校方爭取到不少獎牌，師生都對他又敬又怕，有不滿，沒有怨言。

在一次大賽前夕，貞寧扭傷腳踝，黃教練把她叫到自己專屬的教室，叫她坐在一張硬椅上，細心替她進行療傷步驟，先從腳尖輕柔，再在雙腿間重搓，貞寧本能地用手抓住他的手，然後，鬆了手任憑他肆無忌憚的長驅直入，事後貞寧很緊張地問：

「會不會懷孕？」

「不會，保證。」貌似忠厚的黃教練神秘笑稱：「剛才不是先給妳喝了一杯淡黃色橘子水？」

貞寧不再追問，望著這位對她有恩的恩人，獻上最寶貴東西，也是無怨無悔的。

從此，他們就膩在一塊，同學間已有閒言閒語，黃太太也起了疑心，自己丈夫為什麼要天天忙碌，夜夜加班，她早想查個清楚。她經過多方面追查，知道丈夫確實背叛她，她找妹妹商量，如何捉到把柄，讓不良的良人俯首稱臣，她們決定暫時按兵不動，等待成熟的時機，貞寧好像也有預感，跟宏達相處時老是問他：

「教練，你的老婆會不會發現？」貞寧皮皮蚪，擔心出事。

「我那個苯豬。」黃教練口無遮攔瞎掰：「她每天忙著買菜、燒飯，幫孩子做功課，忙得很，不會注意到這些事情。」

「那學校老師、同學──」

「妳那樣怕，妳回去好了！」黃教練把她抱在懷裡，又摟又親地吹噓不停：「學校那個老師不對我尊敬三分，校長曾公開稱讚我是學校一大功臣。」

的確，他替學校拿到不少銀盾、獎牌、錦旗，是學校風雲人物，校長對他另眼看待，看到他，都會格外高興的噓寒問暖，有心要重用他，使他得意忘形，忘了我是誰。

貞寧顯然害怕出事，神情緊張，但又不捨馬上回去，躺在宏達身上，撒嬌的問：

「你喜歡我那一點？」

「我全部喜歡，全部，全部的喜歡。」宏達長得一臉忠厚相，誰也看不出，他對小女孩另有一套功夫：「只要妳跟著我，包妳紅，我會想辦法，跟我老婆攤牌，娶妳。」

「師母」貞寧改口稱師母：「她不答應怎麼辦？」

「不答應，妳太小看我。」宏達拍著胸脯承諾：「我會有辦法的。」

貞寧已是一隻乖巧的白兔，閉著眼睛，任憑宏達擺佈，一個情竇初開的少女，經過一陣感情和性慾的洗禮，師生最後一道防線就被徹徹底底崩毀。

宏達自尊心很強，自信心也不夠，從他談話中，就知道他不是憨厚的人，外表保護色容易塑造社會偽君子。

女人最大缺點，就是被網住了，就不再有判斷能力，貞寧明知宏達在哄騙她的感情，連說聲「拜拜」勇氣都沒有。

就這樣，他們又相互依偎，宏達恢復了體力，右手像電腦上滑鼠在貞寧背腰間滑來滑去。

「明年三月舉辦全國中學生運動大會，我們學校有沒有把握拿到幾座銀盾？」

「絕無問題，我們實力堅強，妳就是其中一個。」

「我最近疏於練訓，就怕到時拼不出成績。」

「所以，下禮拜起要重新集訓。妳和高三那個男生——。」

「是，齊春生嗎？」

「齊春生，對，對，就是他。」

「他有奪冠希望，我，沒有把握。」

「不要沒上戰場就先洩氣。」

「我們是要好好準備了。」

「就這麼辦吧！」

「你的意思是？」

「下周集訓，所有選手要集訓三個月，挑選出一些強棒，暑假再——。」宏達話還沒有說完，就在這個時候，房外有急促敲門聲。

「夏校長來看你，趕快開門。」

黃宏達一聽到校長來看他，手忙腳亂，一時腦筋轉不過來，急忙穿上短褲，邊穿汗衫邊跑出來開門，一看到是小姨子陪著黃臉婆來臨檢，急得說不出話來。黃太太拍桌怒吼：

「你們兩個不要臉東西——」

「輕聲點，不要把事情鬧大！」宏達哀求著。

「輕聲？黃宏達，你要給我一個交代。」

學校值班職員跑來察看情況，一聽就知道是怎麼一回事，就悄悄閃開，這時候貞寧只穿內褲和上衣，躲在桌子後面，雙手抱著頭，混身抖個不停，小姨子已看到她露出半個身子側影，衝上前就是當頭幾拳，再狠狠踢了兩腳：

「妳這乳臭未乾的小女孩，竟敢勾引有婦之夫！」

「不是。」貞寧想說不是我主動，小姨子不由分說，又補她兩腳：「不好好讀書，還想狡辯，不是，不是什麼？」

黃太太此時也加入陣容，把貞寧揪了出來，看到她衣冠不整樣子，更加惱火：

「你們有多久了？」黃教練趁著她們分神的時候，抱著衣褲溜之大吉。

「沒，沒，沒多久。」貞寧結結巴巴答覆。

「妳知道不知道，妳這樣毀了我們家庭，還毀了妳自己，難怪別人告訴我，宏達天天加班是騙我的。」黃太太滿面淚水的哀嚎：「我們結婚十二年，十二年了，他騙我，他怎麼可以這樣做，不要我，不要小孩？」

貞寧聽得五內俱焚，她沒有理由再替自己辯護，黃太太臨走時拿走她脫落地上的奶罩，狠狠告誡她：

「再跟我丈夫鬼混，當心我毀妳的容。」說著，回頭又賞她一巴掌。

貞寧受盡屈辱，已沒有招架之力，等到她們走遠了，趕緊穿好衣服，照照鏡子，左臉略顯紅腫，外表看不出有何傷痕，但體內有陣陣疼痛，她不敢多作停留，關上門，就匆匆離去。

隔天，黃太太帶了一男二女衝到校長室興師問罪，適好夏校長外出開會，她轉到訓導處理論，訓導主任張新瑋，看到來勢洶洶，趕緊把門窗關上，笑容可掬地賠罪：

「這件事情，我們會稟告校長，會給妳圓滿答覆。」同時懇求：「不要把事情鬧大，會毀了學校。」

黃太太遞給訓導主任一個紙袋，張主任打開一看，是一個奶罩，心裡暗叫不好。黃太太走了，大伙驚魂甫定，夏校長回來後，就緊急召開校務臨時會議，經過六小時冗長討論，做出揮淚斬馬謖決定：

黃宏達解聘，襲貞寧退學。

貞寧休學在家，跟外面世界切斷關係，整天躲在房裡，少吃少喝，不言不語，不知道是思春，抑或反省，老媽很遷就她，不怪她在外胡作非為，竟怨婉儀帶來衰運，少佐和婉儀也不時抽空陪她紓解苦悶，她迴避回答任何問題，多半在回憶校園的點點滴滴，她慢慢鬆懈了心情，最喜歡跟少佐聊些家常事，少佐詼諧風趣，幫助她忘掉許多傷痛。

女孩嘗過性的滋味，對性需求變得敏感而強烈，少佐一回家，多躲在貞寧房間裡，女人很敏感，婉儀也不例外，有一天中午她外出辦事，因忘記帶身身證折返家中取拿，從門縫中瞧見貞寧雙手勾著少佐的脖子親嘴，她不相信自己眼睛，再瞧，少佐已有了反應，抱著貞寧互吻，她退了出來，不打算拆穿西洋鏡，怕傷到太多的人，她容忍著提醒少佐：

「不要常去貞寧房間，貞寧是受傷的人。」

「我知道了，我會謹慎點。」

過了一段時間，又是一個中午，婉儀想上街去買一個電燈延長線雙插座，恰巧天下起一陣急時雨，她只好折返家裡，聽到貞寧屋內有人走動聲音，她推開虛掩的門，看到一幕不堪的畫面。

貞寧和少佐都穿著單薄的衣衫緊緊的相抱，婉儀再也沒有那種耐性：

「我已經說過，貞寧是受傷的人！」

「就因為她受傷，我才來安慰她。」

「安慰她。」婉儀失去了理性，衝口而出：「安慰她，要抱在一起。——」

「妳看到？」少佐反唇相譏：「我們是兄妹，沒有不可告人事情。難道妳懷疑我們有亂倫行為？」

「我沒有這樣說，你不要不打自招。」婉儀得理不讓人，說過了頭。

這時驚動了少佐父母，都跑了進來，龔太太不管三七二十一，先痛罵婉儀：「妳這個沒教養的女人，到我們家來，吃好穿好還不滿意，整天找碴。」又尖刻補上一句：「我早就受不了啦！」

「誰受不了？」婉儀委屈了很久，鼈了一肚子氣，也顧不得媳婦身分嗆她：「妳用高壓手段整我，我早就是一個小媳婦任由妳使喚和欺凌。」

「好了，好了，都是我不好。」少佐插了一句。

「這樣下去也不是辦法，大家先靜下來商量商量。」少佐父親比較明理，對婉儀動之以情：

「妳在我們家也呆了好幾年，大家好聚好散。」

少佐辯稱是一場誤會，婉儀堅稱是親眼目睹的事實。雙方各執一詞，成了庭院深深的羅生門。

事情鬧得雞犬不寧，婉儀提離婚要求，龔太太從頭到底都反對這門親事，對婉儀諸多不滿，由婉儀提出，她一口答應，龔聖德並不贊成，吵吵鬧鬧了一陣子，大家才達成共識，孩子由婉儀帶走，並給她一百二十萬生活教育費，從此夫妻勞燕分飛，鑄成支離破碎的悲劇。

婉儀住在慧靈家很自在，她們相處非常融洽，慧靈對陌生人十分小氣，唯獨對好朋友特別大方，她常常到市場買隻土雞給婉儀進補，婉儀好感動，覺得自己失去了很多東西，但擁有慧靈這分友誼，很值得欣慰。她想拋掉所有麻煩，把全部精力放在工作上，但有時會力不從心的遇到障礙，同事都能體諒她的心境，多能配合她，遷就她，在公司，他是得天獨厚的受傷人。

婉儀工作努力，在公司已晉升為小主管，某天奉命到經濟部中央標準局恰辦一件商標專利案件，承辦人和科長都無法裁定可否發給執照，因為局長公出新加坡，請她到副局長辦公室一談，她一跨進室內，就看到書凱端坐大位上，再瞄一眼看到雅瑩也坐在沙發椅上，她好尷尬，轉身想溜走，雅瑩眼尖趕上前來，拉著婉儀臂彎：

「婉儀，妳不認得我們了？」

這時書凱上前招呼她坐下，並且交代承辦人盡速幫她辦妥，雅瑩關心問道：

「你們還好嗎？」

婉儀沒有正面回答，反問她：

「你們怎麼會在一起？」

雅瑩坦率說：「我們同在舊金山大學唸書，在異地舉目無親，假日常結伴出遊，日久就結婚了。」接著雅瑩風趣解嘲：「現在要叫我鍾太太了！」

婉儀望著容光滿面的書凱，好愧疚，好後悔，本來「鍾太太」是屬於她的專利，現在變成了雅瑩的，她覺得他們兩人很匹配，只是自慚形穢，有什麼比強烈對比，更令人難堪。她沒有話說，真的沒有話說，只怪自己沒有這個福分，其他都是廢話。

書凱曉得婉儀心有疙瘩，轉個話題問她：

「有幾個孩子了？」

「一個女孩，跟我一塊住。」

「少佐先生還好嗎？」雅瑩搶著問。

「他——」婉儀很討厭再聽到這個名字，直接了當回答：「我不知道，我們早已分手了。」

這時候場面窘困，書凱只好打圓場：

「改天找個機會，大家聚聚。」

「改天再說，我還要趕回公司辦點事情。」婉儀拿了文件，就向他們握手告別，他們還來不及送她到電梯口，她已一個箭步，從樓梯間連滾帶跑地飛奔而下。走出中央標準局，她好悲傷，好心痛，少佐已遺棄了她，書凱已成了好友的丈夫，她什麼都沒有了，她覺得自己像一隻斷線的風箏，不斷往上飛，飛呀！飛呀！飛到天堂去，父親已在那兒，母親也在那兒，她要在那兒跟他們相會。但是，在這人世間，她還放不下茵河，她有責任把茵河撫養成人，她不能死，想到這裏，她不知不覺地熱淚盈眶了。

她走得手麻腿軟，坐在公車亭木椅上，一動也不動的呆呆坐著，無數輛公車都從她面前急駛而出，有位老太太已注意到她的神色，走上前來提醒她：

「小姐，天色已晚了，街上壞人多，趕緊坐車回去！」

她向老太太微笑致謝，心想還有誰比少佐更壞。不過，她是該回去了，走到大門口，靠在木柱上往天上看，天正飄著細雨，她不知道是不是爸媽正為她流下眼淚。

慧靈和婉儀都慢慢變得喜歡素食，但礙於茵河需要，只好半葷半素，婉儀有時還到道場走走，晚上沒事不是聽音樂，而是唸佛經，有輕度宗教傾向，人的心情轉變很快，她們兩人也會結伴到少白基金會幫忙整理雜務。

少白專心工作，不常跟她們聊天，不打聽她們底細，壓根兒不知道婉儀跟他有著親戚關係，倒是女人比較敏感，婉儀看到少白和少佐，姓也相同，應該會有特殊關係，但是，少佐已在她心中除名，所以，大夥都不知底蘊。

基金會逐漸打開名聲，捐款數字急速上升，需要人手幫忙，慧靈感同身受，比婉儀還熱心，有時婉儀出去散步，她會過來幫忙，跟柔爾攀上交情，柔爾受她熱情感動，不把她當作外人看待。

「基金會不應該只做救助貧寒工作，應該可以做更多事情。」慧靈向柔爾提出她的看法。

「前天，理事長正提起這件事，聽起來簡單，做起來蠻複雜的。」柔爾是一個思慮周延的工作狂，她有這分野心，卻不輕易下手：「這需要很多人，很多錢，光有理想，無法成事的，將來可能需要妳大力幫忙。」

「我願意幫忙，我會盡力幫忙。」慧靈拍拍酸痲小腿：「如果需要，我樂意捐點錢。」

「不需要，妳留著自己用。」柔爾拒絕她的好意，不了解她經濟狀況，直覺慧靈需要照顧自己：「妳來幫忙就好，最好是每周固定時間來一、二次。」

「沒有問題，這是小Case（小事一樁），我決定好時間再告訴妳。」

這次交談，使她們交情又進了一步，柔爾發現殘障人特別同情殘障人，假如由殘障人一塊來推動這項工作，應該更容易達成理想目標，她心裡有譜，要做好這項工作，必須多方面配合。

婉儀周末早晨，喜歡獨自到附近社區小公園散步，沉澱自己，消除愁思，在公園裡，經常會碰到一對鄰居老夫婦，老先生頭髮稀鬆，老太太髮根全白，狀甚恩愛，老先生不良於行，拿著拐杖一步一步的走，老太太有時會攙扶著他，跟在旁邊囑咐他要小心走。夏末一個早晨，婉儀又遇到他們，以前頂多打個招呼，這天老先生心情特好，關心問起婉儀：

「妳怎麼老是一個人出來散步，先生孩子呢？」

「我已經離婚，女兒不喜歡散步。」婉儀不想欺騙老人家，只好據實相告。

「你就是多嘴。」老太太埋怨他：「東問西問的，找人家麻煩。」

「沒有關係，我早已習慣了！」老夫婦請婉儀坐在石椅上，老先生一本正經開訓：

「現在年青人動不動就離婚，離婚率太高。」他聲音由低漸變激昂：「夫妻離婚就是不懂容忍，把子女害慘。」

「你最不懂容忍，還好我能容忍，否則，那能維持到今天？」老太太有感地發起牢騷。

「夫妻沒有不吵架，不吵架是騙人的。」老先生越說越起勁：「我告訴妳一則真實故事，我有一位老朋友，是國際知名人士，他九十歲生日前夕，跟他太太大吵一架，我們剛好在場，還幫忙勸架。」老先生笑瞇瞇的說：「第二天來了一大堆媒體記者來專訪，他竟然對記者說：『我們夫妻感情彌篤，六十五年來，從未曾吵過一次架。』然後大談夫妻相處之道，讓我們笑破肚皮。」

老先生話還沒有說完，老太太又搶著發言：「真有這件事，夫妻吵過架就算了，把先生找回來。」

婉儀咬了咬上唇，搖搖頭：「都過去了，夫妻老來伴，你們相親相愛，令人羨慕。」

「有空上樓坐坐，我們住六樓2A。」

他們互道「保重」就各自回去，又過了大約三星期，他們又在小公園不期而遇，兩佬對婉儀印象良好，捉著婉儀不放，婉儀也愛聽他們講話，在他們聊得起勁時候，忽然進來一隻小狼狗，蹬在樹叢邊撒尿，老先生很光火痛罵：

「這個狗主人太缺乏公德心，養狗就要好好訓練牠，狗是很聰明動物，教得好，牠也會變成很有教養的好狗。」

「伯伯說得很有道理，好像對動物很有研究？」婉儀笑著注視老先生。

「妳猜對了，他是專攻動物學系的。」老太太不忘替她先生吹噓。

「我問妳——」他對著婉儀說：「妳知道什麼動物會由雌的變雄的，或者由雄的變雌的？」

婉儀搖搖頭：「不知道，要不要動開刀手術？」

「不需要，牠們是天生的。」老先生談到自己專長，笑逐顏開地挺起上身：「我們常吃的黑鯛，兩歲之前是公魚，之後精巢慢慢退化，到三歲的繁殖季時，原本的黑鯛變成了母魚，可生產孕卵。此外，先發育成為雌的，而後再發育為雄的魚類也有，大部分石斑魚是以雌性生殖卵巢先成熟，經過自然的性轉變，體內精巢再發育成熟，轉變成雄性。」老先生自認在這方面很權威，又有些許耳背，說話聲若宏鐘，鏗鏘有力。婉儀缺乏這方面知識，興趣濃厚追問：

「為什麼會有這種現象？」

「這就是適者生存道理。」老先生摸摸下巴又說：「生物的本能就是進行生殖和延續自己的族群，由於海洋環境多變，魚類為確保族群能在環境中生存，不得不演化出許多不同的方式和策略，以維護生命的延續。」

「太棒了！我從來沒有聽過。」婉儀對這方面很感興趣：「那人類何以不能自動由男變女的，還要動用手術？」

「人類身體結構比較複雜，腦筋好，科技發達，另有一套配合生存方式，否則，徒有高明醫術又有什麼用途？」

老先生說的道理，婉儀由衷敬佩，不禁汗顏的說：

「我什麼都不懂，都不會，怎麼辦？」

「胡說。」老先生語氣嚴肅糾正她：「妳學什麼，現在在做什麼工作？」

「我是讀商的，現在在一家公司當會計。」

「這就得了，嗯，好，這就是專長。」老先生有意替婉儀打氣：「每一個人專長不同，沒有什麼好自卑的，像我最怕數字，現在連電腦和手機都不靈光，再過幾年，我就成白痴了。不過……」老先生看看老太太補充說：

「我現在有空就玩手機，有趣，有趣，就是進步慢，常會當機，慢慢學，慢慢來。」老先生是個和靄長者，逗得婉儀暫時忘了內心苦楚。

時間過得很快，將近三個月，婉儀在公園中再也沒有遇到這對老夫婦，正在婉儀思念時刻，卻在公寓的門口碰到老太太，由一個年輕女孩子陪著她，婉儀連忙上前請安：

「伯伯今天為什麼沒跟您一塊出來？」

「嗯—他—嗯—」老太太欲言又止，輕輕喟嘆：「他走了，上個月。」

婉儀一時接不上話來，淚水在眼眶中滾動，心中反問：「這樣可愛的老人，怎麼說走就走了！」

過了一忽，她馬上鎮定下來：「您一個人由誰照顧？」

「這個外甥女，暫時來陪伴我。」老太太指著身邊女孩說：「過幾天，我就要搭機前往洛杉磯，我的三兒子要接我去住，我怕拖累他，他的腦筋有點不靈光。」

婉儀想道別時，老太太好似遇到親人，拖著婉儀猛吐苦水：

「我有四個子女，分居世界各國，他們都不要我這個老太婆，只有老三比較孝順，勉強答應接我去住。」老太太老淚縱橫哭訴：「我的媳婦並不歡迎我，老了沒人要，時代變了，觀念變了，人心也變了，養兒防老，是不切實際的，最笨孩子有時才是最孝順的兒子。」

婉儀很同情她，但不知該說什麼才好，站在旁邊的外甥女對著婉儀擠出一絲很不自然的苦笑。送別老太太，婉儀深感遺憾，她明明對這兩位老人家有好感，可惜連他們姓什麼叫什麼都不知道，不是有點荒謬嗎？老先生說得很對，每個人都有自己專長，只要把專長發揮出來，都是有用的人。

茵河長得沒有父親的「帥」，也沒有母親的「美」，普普通通的，平平凡凡的，有女人味，跟母親觀念和思想差距很大，已經有多次激烈的爭執，有一天晚上，茵河比較早回到家裡，坐在客廳看電視，婉儀看她整天和一群不良分子混在一起，擔心她出事，輕聲細語勸告茵河：

「不要跟這些不三不四朋友來往。」

「妳不要批評我朋友，妳先管好妳自己。」茵河怒不可遏：「如果妳是好妻子，爸爸不會不要妳！」

這句話太傷婉儀的心，她瞪著大眼，很想給茵河兩個大巴掌。此時，慧靈跳出來仗義直言：「妳這樣下去，總有一天會出事的。」

「我出事關妳屁事？」茵河出口傷人，氣得婉儀說不出話來。

茵河怒氣未消，關了電視，衝進房裡，「呯」的一聲把門關上。這晚，大家心情不好，很早都上床休息。

單親家庭存在著許多看不見的問題，婉儀白天忙著工作，晚上回家看不到茵河，她喜歡在外面鬼混，說也不聽，罵也不是，婉儀不知如何是好？茵河正值叛逆期，渴望有個父親，對婉儀存有歧見？母女關係欠佳，讓小飛俠心生不平，勸婉儀不要太縱容她。茵河班上有個女同學柯舒琳，個子比茵河矮二公分，剃平頭，男人裝，對茵河照顧得極為細心，儼然是茵河貼身保鏢，有空會躲在茵河房間裡，喊她們出來吃飯，都相應不理，慧靈比較敏感，提醒婉儀要注意她們不正常舉動，婉儀生怕正面衝突，總是婉言相勸，隨後這個柯舒琳再也沒有出現在慧靈家。

少佐的妹妹貞寧，在多重打擊下，沒法在家鄉呆下去，就投入心齊服務隊，經常遠赴世界不同角落，從事醫療救援服務，感到很有成就感，寫信告訴父母，我找到快樂，心裡很平安。

少佐向父親要了一筆資金，到海外去闖天下，有人在加拿大中國城看到他，他滿頭白髮，穿著短褲和一件圓領運衫，駝著背，彎著腰，左手撐在背後，舉步吃力地，從街頭走向街尾，然後，不知所終。……

婉儀一生命運多桀，悲慘遭遇還在後頭。有人說：「好人是不會寂寞的。」對她來說，卻是一句諷刺的謊言。

命由天定，運隨心轉，她是深信不疑的。可是，她命不好，運又差，命運好像老跟她開玩笑，她不記得什麼人說過，當幸運之神來臨時，要緊緊抓住，否則，它會從大門進來，窗口溜走。她總是抓不準命運，讓好運都擦肩而過。書凱這樣好的男孩子，她都會輕易放過，媽媽怪她、氣她，不是沒有原因的。她想起苦命的母親，還來不及回饋，就棄她而去。

她好想媽媽，好想媽媽，她不知道將來死後如何面對媽媽，她希望媽媽能夠原諒她的不孝，她做了最錯誤的抉擇，把自己囚困在無邊的苦海中。

她對媽媽有歉疚，對茵河更有歉疚，她不敢管茵河過嚴，也不敢管太鬆，慧靈一再催促她要多注意茵河的行為，她不是不懂，只是束手無策。

茵河對母親愛中帶恨，恨中有愛，她有時碰到母親節會寫一張卡片給婉儀，上面寫著「給最愛最愛的媽咪」，有時會無緣無故的對婉儀大發脾氣，婉儀知道她心理不平衡，多採取原諒態度。婉儀給她零用錢不多，每逢寒暑假，她會自動去打工。有一年暑假，一位老華僑，從巴西聖保羅回國，在台北市光復南路開了一家小型西餐廳，專門經營西式輕食料理，開業的前一個月，都由年近古稀的老夫婦自行照顧店面，一個月下來，大喊吃不消，只好公開招考服務人員，應徵的人大排長龍，金老闆親自面談甄選，結果茵河和另一位男孩子雀屏中選。這個男孩子顏值高，個性開朗，就讀私立大學研究所，店裡只有他們兩個人，男的負責餐飲和收銀機，女的負責招待，洗盆碟和擦桌子，其他雜務由兩人共同負擔，他們互相尊重，默契良好，男孩子很體貼，常常搶著幫茵河洗碗，烤三明治給茵河吃，茵河過意不去，總是說：

「馬定一，你先吃，我不餓。」

「還不餓，已經快三點了！快吃，快吃，我幫妳擦桌子。」

茵河含情默默地邊吃，邊注視定一。

「定一呀！你對誰都這樣體貼？」

「才不是，我看妳瘦瘦的，怕妳餓壞了。」

「現在沒有客人，趕快來吃。」茵河展現出女性溫柔的一面。

「喂！告訴我，妳有男朋友了嗎？」

「沒有，男的朋友很多，沒有最要好的。」

他們愛苗已在工作中產生，她不想坦白告訴定一有一個同性戀的男朋友，因為她是雙性，可以跟女孩談戀愛，更喜歡跟異性男孩交往，她不想失去定一，這個高水準男生，正是她夢寐以求的對象，舒琳可交可不交，她瞞著舒琳，跟定一日久生情，墜入熱戀的情網。

茵河戀愛了，容光煥發，走路都有風，對母親和慧靈都變得親切有加，婉儀好開心，定一有空就騎著機車帶茵河去郊外兜風，有一次在新店交流道發生小車禍，定一安然無恙，茵河倒地擦傷，經醫院裹扎後由定一送回家中，婉儀和慧靈都嚇了一大跳，定一不安表示：

「都是我粗心，害茵河受傷，請伯母、阿姨原諒。」

「摩托車很危險呀！騎車一定要小心，茵河還痛嗎？」婉儀說。

「不痛，不痛，小小擦傷。」茵河天真地說：「哈哈，我都忘了跟您們介紹，這是馬定一，定就是安定的定，一就專心一致的一。」

婉儀一看到這個陽光型男孩，就滿心喜歡，她對自己說：「這下可好了，茵河找到了理想對象。」

「我們一塊打工，認識了好一段時間。」定一恭恭敬敬回答：「她很能幹，做很多事，我們很談得來。」

「你的父母知道嗎？家裡還有什麼人？」婉儀進一步問他。

「我們家裡人口簡單，父親在銀行做事，母親是幼稚園老師，一個妹妹，就讀北二女，今年要考大學。」

這樣家庭，符合婉儀條件，慧靈也對定一印象不壞，因此說道：

「這個禮拜天中午，到我們家裡吃便飯，我替你們壓壓驚。」

這正是婉儀想說的話，這天晚上，大家談到深夜。

婉儀大喜若狂，偷偷笑了。

定一常來慧靈的家，這個家宛如定一的家，他們變成一家人。定一父母一向開明，對乖巧茵河沒有任何挑剔，小妹慶安忙著準備參加聯考，比較少跟茵河接觸，但彼此都會客客氣氣的寒喧幾句。

陽明山對定一有地緣關係，他就讀研究所就在山的那一邊。這天周末傍晚，他帶茵河上山拍拖，山坡附近有一家名氣響亮的中西合璧泰國餐廳，生意興隆，進餐採「三輪制」，第一輪是六時至八時，第二輪是八時至十時，第三輪為十時過後，他們訂不到位子，只好改訂八點那一輪。

因為時間充裕，定一和茵河躺在附近的草坪上聊天，草坡上盡是雙雙對對的人影，誰都不去關心別人在做什麼，這是自由浪漫世界，情侶們都盡情地陶醉在這美好的月色裡。微微的風吹得輕飄飄柳絲搖搖欲墜，陽明山夜景美得像一幅渾然自成的名畫，每一朵花都是一個音符，每一個角落都是一架鋼琴，每一對情侶都是絕世飄逸的音樂家，但，諷刺的是，那些被遺忘的失戀人，將情何以堪？

定一和茵河怡然自得地躺著，沒有激情的演出，茵河撐起身子，側著臉凝視定一：

「你保證會一生一世愛我，永不變心？」

「保證，當然保證，我會愛妳一生一世，長長久久。」定一端坐著發誓。

「不用發誓，我父親曾經發誓，愛我母親一輩子，結果呢？」

「不要把我們相提並論，我是馬定一，我會照顧妳一輩子。相信我，妳一定要相信。」定一語氣堅定，相當認真。

茵河微笑了——微帶滿意地。

這時，八點時間已到，他們趕到餐廳，就陸續進座。侍者遞上餐單請他們自行挑選，他們商量之後點了自己喜歡吃的菜餚。

當第二道菜剛上來時候，舒琳就大搖大擺走了上來，怒氣沖沖責問：

「妳躲在這裡享受，算妳狠！」茵河還來不及答腔，她就轉身走開。定一搞不清楚狀況，怔怔的問：

「她是誰，妳得罪了她？」

「瘋婆子，我們同班同學，別理她！」

定一聽聽茵河解釋，看看舒琳又是一個女孩，並不把她放在心裡，吃完飯，就快快樂樂回去。

這件事可糟了，舒琳是單性可女孩，她只愛女孩，不愛男孩，對茵河情有獨鍾，茵河背叛她，這可是天大打擊，她不允許，也不能忍受，她要懲罰茵河，給她最嚴厲懲罰。

暴風雨前的寧靜叫人窒息，茵河在班上，總覺得背後有一枝針在捲她，她會傻傻問定一：

「我會長命嗎？」

「妳的相方方正正的，一定長命。」

她沒有想到，失戀的舒琳，妒火中燒，每一分鐘，每一秒鐘，都在臥薪嘗膽，要報一箭之仇。一個有怨的人，就會心中有恨，眼中佈滿血絲，渾身像被敵意包圍一般，她要討回公道，不能讓茵河佔盡便宜。失戀人的痛苦是不難想像的，心中猶如燃點著一把烈火，這可怕的烈火，正在茵河四周潛伏著。

三

婉儀和慧靈約好同一天休假，一塊到敦品中學去瞭解茵河就讀情況，到了校門口登記後就逕往訓導處，婉儀問一位年輕女職員：

「那一位是訓導主任？」

「高主任應該去巡視上課情形。」女職員回頭一看主任位子空空的，就換個口吻說：「妳們先跟郭組長談談。」這時郭組長主動上前打招呼：「找主任有什麼貴事？主任一忽就會回來。」

「我們是學生家長。」婉儀表明身分。坐定後，組長開口問：

「妳是——」

「她哦！是高二學生龔茵河母親，我是茵河阿姨。」慧靈這樣自我介紹。

「龔茵河？啊，這個名字很熟。」組長沉思了片刻：「哦，我記起來了，高二C班那個女生，瘦瘦的，很秀氣。」

「是，就是她。」婉儀想知道茵河在校實際情況：「她在學校還好嗎？」

「還可以。」郭組長調出茵河品行資料：「愛打扮，每天衣領燙得整整齊齊的，好玩，不用功讀書，身上老掛著一些裝飾品，喜歡跟一群太保太妹鬼混，關於這一點，妳們家長要多加留意。」

「最近呢？」

「最近，最近還好。」

這時候，有一男兩女進來搬器材，一個個長得落落大方，衣領都是燙得挺挺的，慧靈有感而發：

「他們都愛漂亮。」

「是，沒錯，這是我們學校傳統風氣，很難改。」郭組長請她們喝點茶，又低頭翻閱資料：

「茵河愛唱歌，聽說歌唱得不錯，沒上台表演過。」

郭組長沒等她們說話，如數家珍地繼續說下去：

「這是貴族學校，學生家長經濟狀況都不錯，有的還是高官子女，他們養尊處優，不知天高地厚，每一個人都喜歡獨樹一格，當然，我不是指茵河。」肥肥胖胖的郭組長，覺得自己似乎失言，馬上更正：

「茵河比他們乖，不過，也是大過不犯，小過不斷，妳們有沒有接到學校通知書？

」

「沒，從來沒有。」

「她是轉讀生，轉來時間比較短，就她本質來說，算是不錯孩子，就怕交上壞孩子，被帶壞了。」郭組長鑾健談，性情溫和，但對學生管教嚴格，學生嘲諷她為「瘋婆子」。

高主任進了辦公室，郭組長指著婉儀說：

「這是轉學生龔茵河母親。」

「龔茵河，很乖，比他們乖，我有印象，功課太差，成績單全是紅字，要加油……」主任是山東彪形大漢，武孔有力，說話乾脆利落，對學生鐵面無私，學生把他當瘟神看待，避之唯恐不及，他們天不怕地不怕，就怕訓導處這兩大剋星。高主任一看到服裝不整齊，吊而郎當學生，就是當頭猛敲兩下，學生像魔鬼看到神，服服貼貼站著不動，但在背後儘說他的壞話，他有先見之明，不把它當一回事。

「這些孩子太頑皮，不能不管，更不能不嚴，他們討厭我，妳們猜猜，他們替我取了什麼外號？」

「瘋狗」郭組長一說，大家捧腹大笑。

「什麼瘋狗、野狼，我都無所謂，就是不能手軟，教育目的重在因材施教，做一天和尚敲一天鐘，我要敲得響響的。」

聽到高主任慷慨激昂的談話，婉儀完全認同他的論點，一看下課時間快到，請求他們不要告訴茵河，兩人就道謝走了。

舒琳無法接受茵河單方面「斷交」，中午午休時，她約茵河到運動場給她一個交代，茵河只好跟著她到籃球架旁邊，舒琳怒火沖天責問：

「妳是什麼意思？不是說好，我們終身廝守嗎？」

「我們都是女孩，這樣交往下去，也不會有好結果。別人會用什麼眼光看我們？」

「我說過，我不怕，妳曾經答應我，一切聽我的，現在變心，妳忘了，我對妳百依百順，我自己捨不得花錢，買最好東西給妳，妳這個沒良心傢伙。」

「我不是沒有良心，妳送我東西，我可以還妳。」

「妳不能這麼絕情，說斷就斷。妳是知道，我有多麼愛妳，我不能沒有妳！」

「哦，舒琳，請放過我，我們可以做普通朋友。」

「普通朋友？不，不，我才不要。茵河，我愛妳，沒有妳，我活不下去，最近，我常做惡夢，吃不下飯，也睡不好，真的，我是為妳而活，如果妳一定要離開我，我們都會死得很難看。」

「不要威脅我，過去我們相處很愉快，記得這些就好。」

「妳說得好輕鬆，我不是妳，我辦不到。」茵河瞧見舒琳臉色難看，擔心出事，用較友善態度表達感情：「妳永遠都是我的好朋友，請妳換個角度想想，如果妳父母，或者我媽，知道我們這層關係，他們必定反對到底，到時大家都不會有好結局。」

「我不是傻瓜，我都想過，了不起我們遠走高飛。」

「我們，我們靠什麼生活？」

「打工，妳不是還在打工？」

「我打工只不過賺些零用錢，那夠正常開支？」

「妳為那死鬼都可以打工，就不能為我？」

「妳想太遠了，唉呀！不要把他扯進來，他沒有得罪妳。」

「誰說沒有得罪我，就是他，把妳搶走！」

「別說這樣難聽，妳聲音太大，同學都在午睡。」

舒琳聲音越吼越大，走廊上幾位被體罰同學都把眼睛瞄過來，大家覺得他們好像在爭吵，又好像在討論什麼問題。

上。

茵河想想，不能再吵下去，就安慰舒琳：

「再說吧！舒琳，我會牢牢記著過去我們那段情份，聽我說，饒了我！」

說著，茵河向教室走去，舒琳咬牙切齒地看著茵河走遠，把緊握的書本重重摔在地上。

午后陽光正洒在屋簷上，靜靜的，校園又回歸深沉死寂。

自從這次談判後，舒琳知道茵河去意已堅，她也死了這條心，能夠想的只有兩個字：「報復。」以前，她還存有一線轉機，而今她完全放棄，她茶飯不思的想著復仇大計，她深信茵河可用女人肉體來取悅男人歡心，她同樣也可以用自己身體來爭取男人奧援，她照照鏡子，知道長得不醜，打算巧用「美人計」。

飛鷹幫老大廖天柱，對舒琳早就垂涎三尺，但舒琳不喜歡他塌鼻子，大嘴巴長相，總是退避三舍，為了「復仇」大計，她不惜犧牲色相，親自移尊就教，天柱「唉呀」一聲尖叫。

「美人，遠道而來，有何見教？」

「你不歡迎我來，那我回去了。」

「怎麼會不歡迎，請都請不到。美人事，就是我的事，一切好談。」

「我沒有事，路經此地，順便看看你。」

「太感激了，妳好嗎？」

「很好。」

「功課忙嗎？」

「說不忙，騙你的；說忙，也是騙你的。因為我不用功，生平無大志，只求六十分。」

「六十分不容易呀！我以前主科常考五十幾分，數學老師就是不讓我及格。」

「那怎麼畢業？」

「留級三年，老師也於心不忍，只好筆下超生，恭送我出校門。」

「我們半斤八兩，不用謙虛。」

「難得妳來，今晚我請客。」

「我想回去。」

「不能回去，不給我面子。」

「好吧！你這樣說，就讓你破費一次。」

「妳愛吃什麼菜，四川菜，粵菜，台菜，還是西餐？」

「清淡一點，台菜吧！」

「我們到清翼餐廳去，它的佛跳牆和紅燒魚真不賴。」

「看來你應酬不少，吃遍東西南北菜。」

「這方面我確有兩把刷子。朋友多，自然應酬多。」

菜上桌，老大叫服務生開了一瓶自己帶來的ＸＯ軒尼斯白蘭地，他們灌下三分之二好酒，一向酒量不差的舒琳已經頭重腳輕，搖搖手：

「不，我不能喝了，我醉了。」

「醉了？」老大心中暗笑：「醉了才好辦事。」

「來，把剩下的一點酒喝完，我帶妳去咖啡館喝杯濃茶，就會清醒過來。」

喝光瓶中所剩餘酒，舒琳已經天旋地轉，口中直喊：「乾杯，痛快，乾——杯。」

老大也有五分醉意，他沒有帶舒琳去喝茶，卻帶她上「屠宰場」。

這是他常來的場所，「歐巴桑」都跟他很熟悉，到了房間，他把舒琳四平八穩地擺在床的中間，舒琳拼命喊：

「口渴，茶，好熱。」

「一忽就不熱，房間已開了冷氣。」天柱端了一杯茶上來，舒琳手一揮，整個杯子打碎地上，他用腳把碎片都踢到床底去，脫掉她身上沾水的上衣，她已渾身無力，他又脫去她的胸罩，他才發現這個小傢伙身上有點貨色的。

他奮亢極了，一分鐘都不讓它浪費，他藉著酒瘋，面對他心儀已久的美人，今夜他要討回所有相思債，他毫不憐香惜玉的攻陷她最珍貴的堡壘。

床上流著紅丹丹一灘鮮血，他嚇壞了，他從未曾想過，原來她還是純潔的處女。半個鐘頭後，她醒了，下半身微微疼痛，一股難言的悲傷湧上心頭，她死勁地搥打天柱，天柱任由她發洩情緒，一聲也不吭，摟著舒琳，說：

「妳現在是我的人，妳有任何解決不了事情，都由我來承擔。」

舒琳沒再作聲，惺忪地望天柱一眼，安安靜靜躺在他的懷裡，一睡到天亮。

此後，他們密集地約會，唱歌，跳舞，爬山，郊遊，最遠還到過泰國，幫內小弟都尊稱她：「大嫂。」

在同居日子裡，她扮演相當稱職角色，有個晚上，臨睡前，她坐在椅上簌簌流下眼淚，天柱如丈二金剛摸不著腦袋，很詫異問道：

「什麼事讓妳傷心？」

「有人欺侮我。」

「誰？誰這樣大膽，妳是我天柱的人，他欺侮妳，就是欺侮我，我要教訓教訓他。」

「她是我同學，經常在別人面前羞辱我。」舒琳故意兜著圈子激怒他。

「王八蛋，他是誰？吃了熊心豹子膽，膽敢羞辱我天柱女人。」

「她是女孩子，不過，很狠毒，自大，可能知道我跟你交往，不以為然，常說風涼話。」

「這種女孩子，我最看不慣，改天我叫幾個小弟，找個適當機會，讓她出出醜。」

舒琳激將法，產生了效應，她裝著若無其事樣子：「你說要送我一輛轎車，什麼時候？」

「快了，我已叫小仲去訂貨。」

小仲，敦品中學畢業班元老級學生何嘉仲，父親在情治單位工作，母親是知名記者，又是老大廖天柱心腹，學生中太保頭頭，靠著這些複雜關係，敲詐勒索，無惡不作，同學視他如「瘟神」，經常藉故毆打學弟學妹，訓導處對他頭痛萬分，留校察看兩年，還是依然故我，對高二A班一位學弟很有意見，下午放學時，在校門口三百公尺處把他攔下來，三個小太保圍在四周，他嘴中刁著香煙，神氣活現地怒罵那位學弟：

「王八蛋，你很神氣，屌個屁，跟我站好。」

那個學弟長得秀秀氣氣的，一動也不動站在那裡，他更生氣，怒喝道：

「人站直，腿並攏。」接著就是一記飛毛腿，學弟也很有個性，硬是相應不理，兩個小太保大聲唬嚇：

「老哥叫你怎麼做，就怎麼做，再不聽話，有你好看。」學弟瞄他們一眼，一副不屑模樣。

「老子看你不順眼很久了，今天先瞧瞧我小仲整人術。」說著就把煙頭往他臂上燒灼，他痛得叫了一聲，還是不屈服站著：「我那裡得罪你們？」

「你這小孬孬，再牢騷，今天就先讓你嘗嘗老子滋味，阿宏，阿強，先給他吃點苦頭，點煙。」

於是，三位小太保都用煙頭灼他臂膀，痛得他慘叫幾聲，附近學弟學妹見狀故意嚷叫：「瘋狗來了，瘋狗來了！」

這群小太保一聽瘋狗出現，馬上作鳥獸散，學弟抱著受傷手臂狂奔回家，父母看到兒子傷成這個樣子，趕緊替他療傷：

「誰把你——」

「就是我們學校那些小太保，我沒有得罪他們，他們硬找我麻煩！」

「就是你過去提過的那個小仲嗎？」

「就是他！」

「他父親在情治單位做事，母親是新聞記者，簡直無法無天。」昆元加重語氣說：「他自吹天不怕，地不怕，校長和訓導主任都怕他三分。」

「太誇張了，小仲，本名是──」

「何嘉仲。」

「造反，這個社會還有這種痞子，我來查查看。」昆元父親一直在情治單位服務，處事態度外圓內方：「你有沒有去惹他們生氣？」

「昆元一向很乖，不會先去招惹別人的。」母親一邊替昆元擦藥水，一邊強調說：「這種壞小孩是要好好管教管教。」

第二天一清早，昆元父親關潔生就囑咐女秘書去查查何嘉仲家庭背景，一查原來卻是一家人，小仲父親是同單位副處長，女秘書請他到局長室一談，他還摸不清楚局長為什麼一早就叫他上樓，一見面，關局長臭著臉對他發飆：

「你兒子仗勢欺人，把我兒子打得手臂瘀血。」敦良心裡有數，兒子又闖禍了。他低聲下氣賠罪，並怯怯的問：「何嘉仲打傷令公子？」

「是呀！我兒子是家中聽話寶寶，據說，你的少爺看他不順眼，糾聚了二個小太保，把他毒打一頓，我太太氣得想提告，我們是老同事，不能為小孩子傷了和氣，老實說，我是……。」

「報告局長，我這個兒子，真應該送到火燒島去，我回去會狠狠打他一頓，令公子要不要請人送他到醫院檢查檢查。」

「沒那麼嚴重，只是皮肉傷。」局長語氣轉為溫和：「敦良，我們是幾十年老朋友，說真的，要好好管管你兒子，這件事我不想追究了。」

小仲觸怒了老長官，敦良顏面掛不住，回家狠狠抽了小仲幾鞭，警告他再在外面胡鬧，就斷絕父子關係，小仲真的收斂了不少，可是他不像少白那樣，頓悟到自己犯了天條，必須真心悔改，他是嘴巴改，心沒改，有如狗改不了吃屎一樣，暴衝陰影仍在內心深層浮動。

小仲放學回家，書桌上一定先擺一本書，偽裝很用功，敦良滿心高興，在全家吃晚餐時誇讚他：

「小仲能夠勤奮讀書，太好了，本來哥哥就應該做弟弟的榜樣，這下我們全家大放光明了。」

「是呀！小仲這樣聰明，只要自動自發，將來比誰都有辦法。」小仲媽特別疼愛這個寶貝兒子。

「對了，小仲——」敦良有感而發：「今年該畢業了嗎？」

「No Problem（沒問題）。」小仲喜歡說些流行口語：「今年，今年保證畢業。」

「畢業後，有什麼規畫？」父親問。

「我打算考空軍官校。」小仲說。

「太好，太好了。」二個弟弟都同聲鼓掌，大弟說：「大哥穿上空軍制服，一定帥呆了。」

「對了，老伴，上一次小仲惹的禍，老總沒有再嘮叨了嗎？」何太太關切問。

「嘮叨倒沒有，他是笑面虎，局裡人都叫他『老狐狸』，小仲，別再替我添麻煩了。」

「不會的，爸爸，我有分寸的。」

「不會就好，我老了，快退休了，退休金沒有，全家吃西北風。」

「哥，要聽爸爸的話，將來全家靠你的。」大弟附和著。

這頓飯，全家吃得很開心。

過了二天，小仲去找天柱，向他報告買車情況，老大問他：

「我的車子，出貨了嗎？」

「還沒，快了，最近BMW流線型款式缺貨，快進關了，就在這十天之內。」

「催，催，我的小娘子已經問了好幾次。」

「再寬限幾天，這是整個市場共同狀況。」

「好吧！你那嫂子急性子，催催就是了。哦，對了，你來的正好，我還有要事託你。」

「大哥儘管交代。」小仲是講江湖義氣的人。

天柱把舒琳受辱的話，加油加醋的重覆一遍，壓低聲音說：

「好好辦，整整她，辦妥了，重賞。」天柱對小仲辦事有信心，何況這都是敦品中學家務事，他用雙手揉了揉臉：「還有事嗎？」

「是，有……」小仲吶吶地說：「我父母最近管我死死，經濟全面封鎖，手頭很緊，大哥剛才交辦的事，也得打點打點。……」

「這是小事，需要多少？」天柱知道他的來意。

「看大哥方便。」

天柱打開保險櫃，順手拿出厚厚一疊全新鈔票交給小仲：「你辦事，我放心。」

小仲喜出望外，比他預先要的要多出許多，這一天他又逃學，他傳了一個LINE給「小精靈」，這是高一學妹林雅琴，鬼計多端，性開放，同學背後都叫她「香爐」，小仲跟她不是情侶，卻有親密關係，應該說是志同道合道上好朋友，她一看到小仲訊息，課也不上，就趕到老地方碰面，小仲先送她一枚精美別針，她笑瞇瞇說：

「無功不受祿。」隨手把別針拿出來把玩：「很美，我喜歡。」

「來，先佩戴再說。」小仲幫她別上別針，隨口讚美：「紅花還要綠葉陪襯，小精靈今天美極了。」

「謝了，找我有什麼要事？」

「妳認識高二C班的龔茵河嗎？」

「有點頭，沒交情。」

於是，他們就交頭接耳談了二、三個鐘頭，小仲緊抱著她，深深吻她。

吃過精緻下午茶，他們就在寬大的沙發椅上，草草的「玩」了一陣，小精靈整理好衣裙對小仲說：

「我先出去，我要趕回家陪嫂嫂買嬰兒裝。」她扮了一個鬼臉，就跨出咖啡廳。

小仲躺在舒服的椅上，閉目養神，伸手摸著鼓鼓的鈔票，有一股暖流越過他的腦中樞。

回家，坐在書桌上，書本始終停留在第十八頁，他竭精殫慮的想著那個害人的大計畫。

天柱說「錢不是問題」，這點他很窩心，他知道「有錢可使鬼推磨」，那些小鬼給他們吃點甜頭，老大交辦事情一定天衣無縫。他開心的抖著左腿，一看父親進來，雙眼又盯在第十八頁黑字上。

敦良有職業敏感性，靠近一望，老是十八頁，問：

「怎麼還是這一頁？」

「我從頭到尾看了好幾遍，這一頁很重要，必考。」

在辦公室，工作夠忙，回家就想休息，小仲既然這樣說，應該相信他，幸好兩個小的都比大的功課好，他預計大後年就可退休，到時可以遊山玩水，享享清福了。

小精靈果然是小精靈，一切都按原定計畫進行，她二、三天就會在下課時間，有意無意間碰上茵河，她們先由點頭，微笑，問好，有短促幾秒鐘交談，都談些無關緊要話題，她先突破了茵河心防，讓茵河知道有她這個人存在。

小精靈喜歡玩奇奇怪怪遊戲，這一次她想露一手，一方面可以討好小仲，另方面可以展現她的本領，她摸摸小仲塞給她壹仟元五張大鈔，她決定請她三位拜把「小鬼」吃頓飯，她忘掉自己也是小鬼一個。

在一家小小餐廳裡，她把自己計畫細敘一遍，鄭重表示：「這件事要絕對保密，辦妥了，我送每人一分珍貴紀念物。」

「不用啦！雅琴姐，替妳辦事，是我們最樂意的事情。不要禮物，再請我們吃一餐就可以了。」

「一餐，一餐不夠，兩餐都可以。」小精靈轉學留級多次，實際年齡比他們略大幾歲，說話條理分明，見解也獨具一格，三個小鬼對她很服貼。

大家喝著酒，唱著歌，用筷子敲著碗、桌，情緒夯到最高點。

「我們可以籌組一個樂隊，到處去表演，可以增加一些收入。」其中一個小弟建議。

「這個建議挺有建設性，等這件事辦完後，我跟小仲哥談談。」雅琴反應敏捷：「我們缺乏這方面人手，組織樂團不是那麼容易。」

小鬼不約而同說：「我們有現成幾位朋友在這方面有專精。」

「那好辦，我們找個機會再來磋商。」雅琴說。

「妳還不了解我的意思。」那個高大小弟又說。

「你的意思？」

「先把他們拖進來一個，萬一出岔，他們也可以分擔一些責任。」

「呸，呸，還沒有著手，就說不吉利的話。」雅琴沈著臉色。

大家都低著頭喝悶酒，有幾分鐘冷場時間，那個小弟站起來，端著酒，恭恭敬敬說：

「我話說太快，罰一杯。」

「小事，別放心裡，大家再乾一杯。」雅琴一口乾完：「祝萬事如意，馬到成功。」

就在一陣「乾杯」聲中，結束了這次餐聚。仗著幾分醉意，她又去找心腹朋友，詳細研究「甕中抓鼈」的布局。

魔鬼開起大門，毒蛇猛獸都蜂湧而出。用這樣多的人，來對付一個小女孩，真是天理難容。

任何事情，溝通不良，都會使單純問題複雜化，茵河命中該絕，逃不過這個死劫。

出事前幾天，茵河還對婉儀說：

「媽，我最近好奇怪，心老是猛烈跳動，會不會生了什麼病？」

「等忽去宏仁診所檢查看看。」婉儀摸她額頭和脖子：「沒有發燒，去睡個覺。」

茵河躺了一忽又爬起床：「我睡不著，去醫院量量血壓。」醫生替她量了血壓，用聽筒聽了很久說：「沒有感冒，也沒有大毛病，大概天熱，太用功，我開一天份藥吃吃，睡個覺，明天就會好。」

女醫生給她幾粒鎮定劑，她一吃下去，果然一夜好睡。

定一聽說她不舒服，帶了兩顆水梨給她潤潤喉嚨，她笑著說：

「你好體貼，以後我沒病也要裝病。」

「妳裝病，我天天送梨子來。」

「好了，不騙你，我沒病，只是心不寧。」

「我想，醫生說的不錯，就是功課忙，工作辛苦。以後妳不要再打工，我賺錢，一塊花。」

「定一，你對我這樣好，我好幸運，我也要對你更好。將來打算出國讀書嗎？」

「我有這個打算，我的父母也希望趁著年青到國外見識見識，等妳畢業，我們一起申請，一起去。」

「我好希望趕快畢業，我媽替我儲蓄了一筆錢，作為我留學費用。」

「從今年寒假起，我們同去圖書館唸書，我抽空教妳英文，我們要好好規畫未來人生。」

「你程度好，我配不上你，你變心……」

「妳怎麼老怕我變心，說不定妳先變心。古代有些飽學書生愛上目不識丁良家千金，還不是過得很美滿。現代社會開放，學識可以不斷吸收，這不是不能克服的。再說，有些女孩結了婚，再去進修，多的是，不要多慮，我找到妳的病因。」

「什麼病因？」

「多心病。」

他們相視而笑，手牽手出去散步。最最開心的是婉儀，看到茵河找到可以託付終身的男孩，比她自己獲得任何稀有珍珠瑪瑙都來得珍惜。

在永和郊區，一棟單身出租公寓裡，住著一名大學生，一名百貨公司化粧品櫃台服務人員，還有兩個職業不安定女郎，她們行業和身分不同，但相處很融洽，最小一個女孩子，才是科技專校夜間部二年級學生，白天在早餐店打雜，她的弟弟就是沈烈火。烈火雖然性如烈火，對姐姐卻言聽計從，有空常來看姐姐，他們老家在瑞芳鄉下，兩姐弟跑來台北闖天下，淑敏愛標亮，她把賺的錢都花在整容上，天生四小一大，眼小，耳小，鼻小，嘴小，唯一大的，就是巨無霸爆孔，她堅稱從未跟男性有過肉體關係，大家都不信。

她非常欣賞同房女孩那張姣好臉蛋，不時好奇的問：

「妳怎麼長得這樣標緻？」

她被問得發火，摸著小臉說：「我是整容的，妳想嗎？」

「我那有那麼多的錢，錢儲蓄夠了，我有這個念頭。」然後，她問：「現在那家整容中心比較權威？」

「東區有家『秋陽整容中心』蠻有名，我在那兒雷射過，院長孫天良專業是專業，很色。」

淑敏暗暗記在心裡，選個放假日，偷偷跑到這個診所求診，填好表格，談好價錢，她就更衣躺在手術檯上，院長進來後，先摸摸她的臉，再摸摸她的肩，解開她的衣帶，伸手在她全身上下無止境的摸索，她眼睛半開半閉的瞄了主治大夫一眼，只見他個子碩長，穿著白袍，頭戴綠巾，心中暗喜，讓他摸摸，也蠻舒服，可是，這個院長大人得寸進尺，摸到了她的禁避區，她忽然推開他的手，坐著叱責：

「我是來整臉的，不是整胸的。」

「我耳朵不好，聽錯了，真真抱歉。」

「我不要了。」她一看已經被他摸了二十多分鐘，什麼正式手術都還沒著手，起身換回衣服想走。

「不要生氣，耽擱妳太多時間，換個時間再來，我保證特別小心，特別優惠替妳動手術。」

她一聽「特別優惠」四個字，就消了一半的氣，口氣平和的問：

「那定什麼時候？」

「這個禮拜五，或者周末？」

「周末好了。」

「周末，這個周末。」院長摘下頭巾，滿臉堆著笑容：「到時恭候妳了！」

女人是善變動物，上午想的和下午想的，此刻想的和下一刻想的，有時會完全不一樣。淑敏想到被那醫生浪子白吃豆腐將近一個鐘頭，確實不甘願，回來就向三位姐妹淘吐露苦水。

「這種色狼醫生非讓他吃點苦頭不可。」

「聽說他有一個有錢岳父，髮妻從事演藝工作，他整天在外面打野食，還跟診所內一名護士打得火熱。」

「我最恨這種人，墮落，沒道德，名醫有屁用。」

「要好好整他一下，他賺我們女人很多錢，要他吐一點出來。」

四個女人，義憤填膺，恨不得把孫天良五牛崩屍，大姐年歲大，閱歷豐富，叫她們不要太聒噪，山人自有「妙計」。

「有什麼妙計，趕快說出來，大家聽聽。」

「我的妙計需要大家同心協力去做，還有——」大姐老氣橫秋說：「淑敏，請妳弟弟來一趟，他們不是很擅長拍照嗎？」

大姐碧鳳把她構想說了出來，大家都贊成用這個妙計，淑敏不放心問：

「有危險嗎？」

「萬無一失，包在大姐身上。」

淑敏隨即撥了手機給烈火，二十分鐘後，三個小混混就出現在他們公寓裡，他們決定配合大姐，烈火賣瓜說瓜甜的自誇說：

「妳們找對人，我們跟拍過很多名人，從未失手過。」

事情就這樣塵埃落定，淑敏按計畫出發。

週末，她淡粧輕衣如期前往複診，孫院長親自帶她進入整型室，她照樣更衣，照樣洗臉，照樣躺在床上，天良也照權摸臉，摸腿，摸胸，這次他們合作無間，雙方柔軟地蠕動著。

她的頭感到眩暈，死命抓著三角褲不讓天良剝掉，外面衝進三名刺青壯漢，護士想攔阻他們，被大力推到牆角去，他們朝著天良劈劈拍拍地拍個不停，淑敏趕忙穿上衣服，身體直打抖，接著三位室友也跟了進來。烈火揪住天良，猛猛揮了兩拳，天良擦去鼻血，拭乾眼淚，恢復鎮定說：

「這是誤會，完全誤會！」

「還算誤會，你這吸血鬼！」烈火揮舞著拳頭：「你叫孫天良，應該改名喪天良，盡幹不要臉勾當。」

「大家好商量。」孫院長知道來者不善，用低姿態求和：「你們想——」

「你想私了，還是公了？」

「私下解決，私下解決就好！」

「她是黃花閨女，快拿五百萬來！」

「黃花閨女？」他哼了一聲：「五百萬，我那來那麼多錢？」

「沒有五百萬，那六百萬好了！」

「你們逼我上吊？」

「好吧！我們沒有這個意思，三百萬好了。」大姐下了預定的底價。

最後，以三百萬元成交，她們拿到即期本票，就揚長而去。孫天良明知是惡意勒索，但性好漁色，只能啞吧吃黃蓮，苦在心裡口難開。

四位女生加上三個小鬼，有了三百萬，由大姐均勻分配，淑敏犧牲色相，功勞最大分八十萬，其餘女生各五十萬，三個小鬼亦各分二十萬，剩十萬元，大家到五星級大飯店開慶功宴。

這家觀光大飯店，菜色最好，服務最週到，他們包了一間寬敞房間，把服務生趕走，在裡面放縱形骸說些葷素不禁的碎事。

烈火覺得自己又幹了一番轟轟烈烈大事，三杯烈酒下肚，就大吹起牛來：

「我烈火沒有什麼事辦不成的，這檔事辦完，下一檔更精彩。」

「怎麼精彩法？」大姐問。

「這不能跟妳說。」他好像也有戒心，又乾了一杯烈酒，對著大家說：「敦良中學下個禮拜天要開毒趴舞會，我是重要負責人。」

坐在他旁邊小弟，踢了他一腳，他不悅說：

「踢什麼？她們都是我老姐好朋友，沒有不可以說的。」

「毒趴，我從來沒有參加過，我有興趣，帶我去見識好嗎？」同房的另一個小姐說。

「不行，我們管得很嚴，沒有老大邀請帖是不能進去的。」烈火說到興頭，忘掉他保密原則。

「烈火。」淑敏一聽到敦良中學四個字，就興趣大增，因為這個學校訓導主任高尚遷在她班上教教育史，人很正直，教書認真，同學對他印象還不錯，因此，她問：

「已經決定了？」

「早就決定了，我們還洒了大把鈔票，要辦得空前絕後的，我們三個人還負責拍照。」

這時候，他的酒已醒了一半，小鬼又踢他二下，他有警覺說：

「不談這些，換個話題，改天妳們有需要，隨時通知我們，我們辦事最牢靠。」

這餐飯花了將近三萬元，別人的錢，當然不會心痛。

茵河情緒低迷，婉儀鼓勵她出去走走，定一帶茵河到淡水關渡賞月，修長的沙灘沐浴在迷濛的夜色中散發出婆娑的撫媚，雙雙對對情侶沿著東側高樓投向遠遠的盡頭，定一牽著茵河的手，靜靜享受晚風的吹拂，茵河踢著沙石，停下來，仰著頭，天真的說：

「我好喜歡這個地方，鬧中取靜，優游自在，記得曾經看過古代詩人姜白石一首柔情纏綿的好詩，我不是很瞭解整首詩的意思，但中間有一句『小紅低唱我吹蕭』，我懂，他們愛的好真，也愛得好美，想想看，一對情侶，一個低唱，一個和蕭，在月光下，無憂無愁的交流著內心的真情，多感人，多有節拍感。」

「我現在知道妳嚮往的生活模式，我也喜歡。我會儘快修完碩士，帶妳到美國去，妳想去美國東岸，還是西岸？」

「我想去密西根，聽說那兒好美。」

「是，那兒很美。我有個阿姨，母親二妹住在那裡，我的父母去過，我看到那些照片，景色讓人著迷。對，我們將來就朝著這個方向去做。……」茵河靜靜的聽，沒有開口，定一接著說：

「到美國，讀完書，我會拼命賺錢，在密西比河畔買一棟好大好大的房子，把妳媽也接來住。到時，每一個傍晚都會帶妳在附近散步，我們牽著手，後面跟著我們小孩，哦，妳想生幾個？」

「三個，我要三個。」

「為什麼是三個，不是四個或五個。」

「三個夠了，二男一女，恰恰好。你呢？」

「我希望五個，甚至更多。」

「生這樣多，養不起。」

「我們兩家都人丁單薄。我一直認為，家庭昌盛，家族才會興旺。」他鬆了茵河的手，低頭看著細碎的石沙，眼睛閃閃發光：

「妳將來打算讀什麼系所？」

「音樂系，我爸爸是個音樂家。」

「怎麼沒聽妳提起。」

「呃，不談他，我沒有父親。」定一母親從事幼教工作，曾經對他們說過，父母失和，子女最受傷，他可以理解茵河複雜心境，拉著茵河的手說：

「走，我們到左側那棟白屋裡面一家小餐廳吃飯，吃飽飯再說。」

他們有好多共同理想，描繪著一副綺麗的人生圖畫，從一絲絲情感牽出一堆堆濃意，由一滴滴思潮引出一串串憐惜，他們愛的聖潔且生動。

過了三天，在教室裡，舒琳上來向茵河表達友善心意：

「妳出來，我要送妳一件小禮物。」

茵河想說「不」，沒有勇氣說出口，在走廊邊，她打開紙袋，裡面有一副半月形兩片耳墜，舒琳問：

「喜歡嗎？」

「喜歡，我說過，不用再送我禮物。」

「這是我送給妳最後一份禮物，以後我不會再來打擾妳。」舒琳再加重語氣說：「這個星期天晚上，我有幾個好姐妹要替我辦一場慶生宴，妳一定要來湊個熱鬧。」

「我可以帶伴去嗎？」

「我們清一色是女生，不歡迎男士。」

「我一定參加。」她不想潑舒琳冷水，想起舊日感情，大家好聚好散，何必太傷和氣，她爽快答應：「給我地址，我準時來。」

「不見不散。」舒琳把詳細地址給她，悄悄說：「要保密，不要讓訓導處知道。」

「我懂，妳放心。」

她們交換了一個眼色，就各自去辦自己事情。

星期天晚上，茵河穿了一條淺灰色短裙，配一件純白色上衣，一副清純學生打扮，她告訴婉儀，要去參加同學生日餐會，很快就會回來，婉儀囑咐她：

「喊定一送妳去。」

「不用了，請的是清一色女生，免得犯嘀咕。」

「去玩玩也好，我只是不放心，早去早回。」

「我知道，不會有事，妳早點休息。」

茵河坐了計程車，到達目的地，門口有幾個小男孩把關，她言明來意，有位小鬼殷勤的陪她進去，她一看有七八個大小不同的帳蓬，像童子軍露營用的配備，她伸頭往一個小帳蓬望去，裡面空空的什麼都沒有。

三五成群青少年陸續湧入山區，女孩多穿省布短衣，露出遮不住的乳溝，短裙短到接近腰間，不時蹲下繫緊鞋帶，裙底風光極盡養眼的挑逗。男孩就不一樣，清一色圓領T恤，肩上多刻著搶眼的刺青，有的刁著煙屁股，有的握著鮮艷的各式飲料，有的不停揮手呼喊，有的一路哼著山歌，個個意氣風發，全部表露無遺。

營區門禁森嚴，沒有通行證件或秘密口令不得進去，不過，繞過後山就可以偷偷混了進來，有幾個值崗小混混在四周巡邏，只是他們貪玩心太重，有時忙裡偷閒，跑到各帳蓬張望無邊春色。

在每個小帳蓬內，躺著或多或少的不良小太保，這些哥們有的狂叫，有的猜拳解衣，有的說些黃色笑話，有的猛吸迷幻藥，有的在帳外遠遠山邊烤肉、划拳，猛喝摻有可洛因果汁，然後，一個個醉眼婆娑地站起來，一邊狂歡，一邊跳舞，一邊扶持著走進帳幕去，醉態朦朧的交纏撫慰，少數初出茅廬的「嫩孩子」，也在這種情景下，失去了把持。

這簡直像世紀末的災難區，然而，像似混亂場所，卻仍有嚴密的管制，帳蓬的中間，最不起眼的一個，是他們總指揮站，坐鎮的是輪值的白鶴幫長老吳一貫，他執法如山，違法者不是斷指，抽筋，就是「就地正法」。帳內放置著不少槍械、木棒和開山刀，以防敵對幫派前來尋隙偷襲。

上山「朝聖」女孩不全是不良少女，其中六個少女發覺自己走錯地方，但卻無法擅離禁區，她們六個擠擁在一個小帳蓬裡，一有小太保接近她們，就大聲驚叫，巡邏小傢伙就會拿著手提木棒進來查看情況，並驅趕他們：

「走開，走開，她們不喜歡騷擾，趕快走開。」這些太保就會抱怨幾句，倖倖然走開。

茵河靠在帳蓬外苦等舒琳，約有十分鐘光景，還沒看到她的人影，她有點坐定不定，打算起身回去，這時雅琴從另一個小帳蓬蹦了出來，一看到茵河很親切地趨前說道：

「學姐，來了多久？有失遠迎，抱歉，抱歉。」一嘴江湖術語，鞠躬又打揖。

「怎麼沒看到舒琳人影？」

「今天是她重要日子，她的頭髮太長，去修修門面，她叫我招呼妳，很快就來！」說著，說著，就遞給茵河一罐飲料，雅琴自己也打開一罐：

「我們先解解渴，這樣熱的天氣，真煩死人。來，我們先乾一口。」她用罐子去碰茵河罐子，茵河不疑有詐，大口大口往肚裡灌下，幾分鐘後就天旋地轉，四肢無力，兩個小弟，把她架進了一個最小的帳蓬去。

在大帳蓬那邊，守衛嚴密，有兩個小鬼手持木棒，在帳外檢查入場憑證，帳內擠滿幾十個赤身露背的壯漢，在紅地氈中央舖著一條白床單，裸躺著一名身無寸縷的女孩，大概吸食過量摻有迷幻藥飲料，當她身軀轉動時，這些狂悖男孩就雀躍萬分地發出驚呼聲，會場引起一陣陣騷動，秩序逐漸混亂，在場中一個老大站著咆哮：

「按秩序來，矮的站前面，高的站後面，誰不守秩序，就拖出去鞭打。」

果然，情況奏效，無奈個個都箭在弦上，霍霍欲試，站在最前端矮個子已按捺不住肉體滾燙的軀力，就奮不顧身的衝了上去，到了第十一個，她就暈了過去，不省人事，就在高潮疊起時刻，孝莊、怡琴兩人衝了進來，目睹這樣不堪景象，孝莊怒不可遏的么喝：

「你們是人嗎？」

學生聞聲喪膽，提著衣褲狂奔而逃。怡琴趕忙上前扶起茵河，用白床單包裹她的身體，孝莊抱起她送上車子，急急驅車送往最近的一所公立醫院急救，醫院馬上忙了起來，醫生護士總動員，替她打了二針，用最好藥品搶救她，她安睡一忽就醒了過來，可能腦內空白一片，沒有哭，癡癡望著天花板，表情木訥，怪怪的。

醫院大廳擠滿了警察，情治人員，媒體記者，還有校方師長。婉儀和慧靈都聞訊趕來，醫生不讓任何人靠近茵河，希望再稍等片刻，婉儀坐在一間靜房的靠背小椅上淚流滿臉的默唸：「南無阿彌陀佛，南無阿彌陀佛。」

大約一個鐘頭後，柔爾接到慧靈通知，陪少白一塊到醫院探視婉儀，婉儀站不起來，呆呆看著少白，柔爾上前安慰婉儀，她心中好苦，說不出來。定一也來了，急得在走廊團團轉。主治大夫允許婉儀和少白兩個人進去看茵河，茵河出奇的平靜，對著他們說：

「你們不用難過，這都是命，我認了。」

「孩子，堅強些，媽媽會永遠陪著妳。」

「等妳出院，茵河，妳可以到我基金會幫忙，我打算到國外很多地方去做救濟工作，妳放寒暑假，有空就跟我們一塊去。」少白想放鬆茵河緊繃心情，將話題扯到很遠地方去。

「謝謝伯伯，將來假如有空，我一定去，一定很好玩。」她說：「媽，告訴定一，以後不要來了，我不想再見他。」

「怎麼可以？他已經在外面等妳很久了。」

「我不想見他，我沒臉見他。」她激動地放聲哭喊：「茵河死了，茵河配不上他。」

少白見狀，上前安慰她：

「我們不談這些，妳好好靜養，天塌下來，妳媽媽都會幫妳頂，伯伯也會全力幫妳忙，妳媽只有妳這麼一個女兒，妳們母女相依為命，活得有依靠最重要。」少白想驅散她心中陰影，舉了一則真實的案例：「美國有一位化工教授，跟她丈夫到非洲探險，在一帶叢林中，遇到一群黑人把她和丈夫分別綁在兩棵大樹上，當著丈夫的面，將她輪暴了，她回到美國，站在媒體面前，公開控訴這樁血淋淋慘案，震驚了全世界，所有的人都對她的勇氣和膽識，表達最大讚佩。所以，妳有任何困難都可以找我們，我們會誠心誠意幫妳解決問題。」

茵河牽動了一下嘴唇，有反應，但並不強烈，護士進來幫她打了一針，她有些倦容，她睡了，少白退出病房，定一上前問明狀況，進房看她沉睡未醒，出來請教正想回去的少白，他該不該留在醫院，少白不想據實透露茵河剛才對婉儀說的內心話，希望冷卻一段時間，或許能沖淡茵河的堅持，他勸定一先回去，改天再到茵河家裡去看她。

靜養了七天，茵河出院了，婉儀公司很同情她的遭遇，給她一個月休假，薪水照發。校方對茵河傷害感到十二萬分遺憾與歉意，蘇校長在導師和訓導主任陪同下，親自到婉儀家慰問，校長一開口就說。

「這件不幸事件，是我從事三十多年教育工作來最大污點，我誠懇請求妳的寬恕。在我離職之前，會把這些不法分子作最嚴厲懲處，現在犯案不良歹徒都已經被警方調查完竣，移送法辦，唯一漏網之魚柯舒琳，警方已發布通緝令。……」

茵河房間關著，她隱約聽到「柯舒琳」三個字，在房內淒厲的呼叫，客廳的人都嚇了一大跳，婉儀進去一看，她又安祥躺在床上。

舒琳，這個可惡的劊子手，她一聽到事情鬧大了，連夜搭車躲到鄉下工人坊寮去，白天不敢出來走動，晚上才出來買些報紙和食物。

茵河慢慢恢復了健康，有說有笑，但一看到定一，就皺起眉頭，定一低聲下氣哀求：

「忘掉過去，我會守護妳一輩子。」

「不要，這是不可能的，我們勉強湊伙，大家都不會快樂，以你條件，會找到比我好十倍女孩。請忘了我，記得我也好，我已經不配做你情人或妻子，我會祝福你，以後不要再來看我，每次你來看我，都會加深我一次痛苦，我們已經緣盡，我們必須分手。」

「難道妳忘掉我們的約定和誓盟，讓我娶妳，重新來守護妳。」

「太遲了，定一，認識你，這是我一生中最快樂時光，可是，可是我不想再見到你，徒然增加我的悲痛，你請回去吧！我們不會有結果的。」

定一待不下去，走到客廳，雙手握拳猛砸自己腦袋殼，淚水嘩啦啦滾下，定一心知茵河不會回心轉意，忍著悲傷，尊重茵河決定。

茵河臉色逐漸轉為紅潤，婉儀私下對慧靈說：

「叨天洪福，茵河有了轉機，我可以寬點心。」

「還要看牢她，我看茵河情緒並不穩定。」慧靈提醒婉儀。

星期天，茵河跟婉儀、慧靈在客廳閒聊，茵河上廁所清洗，很久沒看她出來，敲門也沒見動靜，她們用力推門都推不開，趕緊打一一九求救，當救護車到達，破門進去，茵河已用偷藏的刀片割腕自盡，滿地一灘鮮血，送往醫院急救，早已回生乏術，婉儀哭得聲嘶力竭，慧靈也開始抓狂。

隔天，報紙用最醒目標題，報導茵河自殺新聞，舒琳看到這則訊息，整個身體僵硬起來，下午三點鐘左右，她趁著大家忙著公務時刻，偷偷溜進一棟辦公大廈的十二樓，站在陽台邊，抬頭仰望著晴空，默默哀訴：

「茵河，我把妳害慘，那不是我的本意，我愛妳，永遠愛妳，我來陪妳，請妳等等我。」說完就一躍而下，結束了燦爛的青春年華。

第二天，媒體刊出錯誤的訊息：

「課業壓力沉重，中學生墜樓輕生。」

茵河走了，婉儀彷彿靈魂出竅，面色蒼白，眼神呆滯，整天自言自語，迷迷糊糊的走動，連最簡單公文都沒法處理，同事同情她，安撫她，鼓勵她放輕鬆生活，日子一久，大家已不像以前那樣關心她，她變得多疑，易怒，畏縮，說些不雅的髒話，有時還有尿失禁現象，在家裡，慧靈非常耐心照顧她，她不領情，時常無緣無故大發脾氣，把整桌菜翻倒地上，慧靈受不了，醫生診斷她已罹患輕度接近中度的阿茲海默症，在不得已情況下，送進了療養院。

經過柔爾告知，少白知道婉儀住院消息，想通知她的親人前往照顧，柔爾細查後才知道她僅有的親人，就是已離婚的丈夫龔少佐，她只好據實以告。

「龔少佐」少白一聽到這三個字，像觸電一樣，癱軟在坐椅上，他覺得龔家何其不幸，老遇上怪異魔咒，發生這種衰事。

「嗯，柔爾，少佐不是捐了一筆錢給我們？」少白坐直身子說。

「是，一筆不少的錢。」

「改天，帶點錢，我們一塊去看看她，怪可憐的。」

三天後，慧靈跟著他們兩個人一起去看婉儀，婉儀坐在角落上，抱著慧靈送給她的洋娃娃，不斷拍著洋娃娃說個不停：

「別怕，別怕，我的乖女兒，媽媽會保護妳，不會讓妳受傷。」看到他們三個人，把洋娃娃抱得更緊：「妳是媽媽的心肝寶貝，誰都別想把妳帶走。」接著又流淚滿面哭訴：「媽媽不好，媽媽對不起妳！」

慧靈和柔爾都陪著她流淚，少白蹬下來，婉儀不斷後退，雙手抱腿，瑟縮牆角瞪大失神眼珠。

這個養老院，有著相當歷史，客廳寬敞，老人都擠在客廳，大多數驚奇的望著三位不速之客，少數則漠不關心的散坐椅上或地上，有的碎碎唸，有的忽笑忽哭，有的突然怪叫一聲，有的唱起兒歌，有如世界末日的來臨，站在一旁的石院長悲天憫人嘆息：「他們都有一個悲慘的身世。」

「婉儀還好嗎？」慧靈關心的問。

「她很安靜，每天都抱著洋娃娃對它說：『你們不能欺侮她，把她搶走，她是我的女兒，我的女兒！』」跟在後頭的護理人員把實際情況告訴他們三位訪客。

「剛來這樣，現在情況有沒有改善？」少白追著問。

「改變不多。」院長說：「在我印象中，還是一樣。」

在院長室，他們交換了一些意見，知道婉儀再也沒有出院的機會了，慧靈比誰都難過，她失去了一個可以談心又知心的好朋友。

被颱風尾掃到最不幸的人是沈淑敏，她跑到法院想把烈火保釋出來，但因收押禁見，見不到人。回宿舍遇見彭大姐，手持一張照片，神秘兮兮的向她說：

「我想再敲孫天良一票，就我們兩個人。」

「為什麼又去敲人家？」她把照片搶過來一看，又是孫的裸照，就把它撕得粉碎，扔在地上，站著，厲聲痛罵：

「妳不是說照片都還給人家嗎？妳太噁心了，孫天良平白給了我們一大把鈔票，本來整型醫生，就有機會接觸到病人身體每一部位，他又沒有玷污我，怪可憐的，妳還想敲詐他，妳太貪心，我好討厭妳。……」她對孫天良產生了「斯德哥爾摩症候群」情結，同情孫天良，覺得不應該貪得無厭的搾乾對方，彭大姐被罵得狗血淋頭，一句話都說不出來，這次之後，她們即分道揚鑣，淑敏找到更適合的室友。

尚還是這次慘案最受社會抨擊的人，咸認他沒有盡到管教責任，也沒有做好防範措施，蘇校長引咎辭職，學校一級主管全部更換，尚還成了無業游民，好在每周還可以到技專上兩節課，內心鬱卒達到臨界點，這些年來，他都沒有成家念頭，他一心想獻身教育，沒料到飛來橫禍，把他美夢擊碎，他夜夜失眠，整個人瘦了半圈，有一天夜晚，他照常到學校授課，談到社會問題時，有一位男生舉手發問：

「老師，您對茵河慘案有什麼看法？」

「這是我從事教育工作以來，最失敗也最慚愧的事情，不但毀了一個青純少女，而且毀掉一個美滿家庭，牽連到太多的人，毀掉太多太多人的事業和前途。現在年青人，貪圖享受，把自己快樂建築在別人痛苦身上，有些年青人，吃喝賭嫖，件件都來，缺乏知性和知覺，幹出太多傷天害理事情。當然，不是所有年青人都是這樣，像你們就很知書達禮，循規蹈矩，做社會楷模。」他稍停，轉換語氣說：

「這個慘絕人寰的悲劇，我的確要負最大責任，我們事先獲得情資，我們研判錯誤，以為不要打草驚蛇，想一網打盡，事情出乎我們的意料，竟然一發不可收拾。」他的聲音逐漸沙啞，眼眶泛著淚光：「我一向主張，治校原則是嚴格而不苛刻，愛護而不姑息。結果嚴格加愛護不等於『愛的教育』，我必須承認，我是一個教育失敗者。我真的對不起社會，對不起死者，我好痛苦，我——好——痛——苦。」

教室鴉雀無聲，大家都把眼光移在那個發言同學身上。下課鈴聲響了，淑敏緊跟著尚還走出教室：

「老師不要難過，黃同學是無心的。」

他靦腆的說：「他問得很好，我不怪他，這是事實。」

尚還沒有開車，也沒坐校車，兩人沿著大馬路一直走去。他已是坐四望五的人，尚是孤家寡人一個，淑敏對他提供的消息，他沒有掌握好，才落得這個田地，不禁問道：

「妳弟弟情況如何了？」

「見不到，我去監獄兩趟都被打回票。」她悵然說：「我父母問起，真不知道如何回答。不過，去關關也好，整天混太保，遲早出事。我希望他出來以後，能洗心革面，重新做人。」

師生在寬寬的道路上一直走，一直走，月亮都嫉妒地躲進雲端裡，然而，他們的愛，已在散步中慢慢滋生。

隨後他們交往日益頻繁，敏感同學已在背後指指點點，尚還警覺到不能再走半步錯路，免得再鬧師生緋聞，斷送了未來前程，經過雙方深談，決定暫停交往，半年後，淑敏畢業了，他們就步上地毯的另一端，過去老友多來參加他簡樸婚宴，郭校長用力緊握他的雙手：

「這是我二年來最開心的一天。」

婚後，淑敏想到烈火，想起婉儀：

「聽說茵河的媽還住在養老院，我們是不是應該去看看她。」

「我早有這個意思，應該去看看她。」

他們到了陳舊的養老院，看到婉儀瘦得只剩下一個骨架，冷冷地望著他們，護士轉身問道：

「你們是她親戚？」

「不是親戚，是朋友，常有親友來看她嗎？」

「不多，沒有，只有一個拐腿女人會來看她。」

「她身體情況如何？」

「難說，她能夠活到今天已經是奇蹟。前天醫生還交代，她隨時會走，可憐的老婦人，她的遭遇，院裡的人都知道，那些殺千刀的小鬼，一定不得好死。」

他們心情十分沈重，在歸途中，沒有說半句話。

週末晚上，少白因事路經最繁華一條街道時，看到一個僧侶穿著架裟，挺著筆直的上身，頭部微仰，雙手作捧碗狀，像極銀幕上求愛鏡頭，姿勢優美且雅逸，忍不住多看兩眼，發現竟然是山上師弟妙空，他把妙空叫到巷口，很誠懇勸說：

「師父不是說過，未經他的許可，不可私自下山勸募，你違反寺規，師父會很難過的。」

「我過不慣山上太單調生活，我想學師兄你一樣，還俗做點自己事情。」

「那你跪在街上乞討，豈不是丟了師父的臉。」

「我不會長期這樣的，現在手邊缺錢，只好姑且討點零用錢，錢夠了，我就會脫掉這件佛袍，師兄別擔心。」

「你缺錢，我先借你一點。」少白掏了一張千元大鈔給他：「你四肢健全，算是知識分子，去找分工作糊口，總比低聲下氣的乞討好。」

妙空接過鈔票，就急急流失在暗巷裡，少白想上前再跟他說兩句，他已不見了人影。

清晨，他看到一則令人吐血新聞，大意是說：

「假和尚，真要錢。

白天裝可憐，晚上扮闊佬。

身上鈔票馬克馬克，一個人佔據一張大桌子，啃著大肉大魚，喝著濃湯美酒，根本是如假包換的騙徒。」

少白氣得頭冒金星，把報紙往沙發一扔，心中大罵：「可恥，大渾球。」

此時，少白已成為社會舉足輕重的名流，時常應邀到各機關團體作專題講演，並作實地參觀訪問，在一所監獄裡，他正循序參觀時，有位受訪人站著對他行禮鞠躬，他看這人穿著受刑人衣服，他走了過去，受刑人遲疑片刻才趕上來喊他：

「總主筆，我是日新報社小黃，黃司機，每天去接你上下班的黃駕駛，有印象嗎？」

「哦！我記起來，是你，小黃，有二次你還幫我運送大批資料到行政院去。」

「好記性，就是我。」

「你來這裡多久了？」

「快三年了。」

「我去前面看看，回頭再來看你。」

他隨著一群參訪者繞了一圈，他告訴接待人員，他必須去看看小黃這位老朋友，等忽會趕到會議室。

小黃看到老長官沒有嫌棄他，真的又來看他，好高興，好激動。少白親切問他：

「你犯了……」

他沒等少白說完，就先行自白：

「我的妻子在外面有了別的男人，我受不了，在爭吵中，我失手砍了她二刀。」他低著頭說：「幸好沒有傷到要害，經急救後，縫了十幾針。」

「刑期多久？」

「五年二個月。再二年，快的話一年，我就可以出獄。」

「這裡學些什麼？」

「剛來時，我有些不習慣，後來我學雕刻，有了寄託，踏實多了。」

「學雕刻，很好，現在謀生，都必須有一技之長，雕刻可以派上用場，刻印嗎？還是木雕？」

「木頭上雕刻，要大本領，我學的是雕蟲小技，能夠餬口就好。」

「雕印章不是人人都會，你能夠有備無患，我為你高興，夫妻分開了？」

「沒有，她傷好後，常來看我，表示我們都有錯，願意原諒我，讓我們重修舊好。」

「你太太可能一時糊塗，你也是一時衝動，我是過來人，我很能理解，多原諒對方，重組家庭。」

「沒有希望。」他已經淚如雨下。

「你的意思？」

「上一個月，她就過世了。」

少白歪著嘴角，露出驚愕的表情，然後說：

「你有幾個子女？」

「半個都沒有。」

說到這裡，有人過來催少白去會議室聽簡報，他回顧時，小黃還在拭著眼淚。

少白有點迷信，老犯嘀咕，人生何處不相逢，為什麼相逢盡在醫院監獄中，不過，他感覺到還是上蒼有意提醒他，他已沒有時間和機會再做違法的事。

婉儀揮別了這個多災多難的世界，因為少佐關係，少白特別到靈堂上香祭拜，深感人生無常。

自從心理診所設立以來，他工作顯得比較忙碌，接過不少個案，其中一個個案特別引他關注，案主湯恆宇，這個孩子，個子修長，眼神飄忽，說話快，動作輕佻，好吹，好鬥，好逞強，他在台北西門町一家夜店當保鑣，父親因案關在牢裡，母親怕他出事，請少白開導開導他。

他們深談了幾次，他告訴少白，他想結婚，母親反對，少白勸他不能隨便，要想清楚，再做決定。

「你還小，不到廿六歲，一點經濟基礎都沒有，結婚會面臨許多難題，你母親既然反對，就聽她的，過些時候，慢慢來。」

「不是我急，我的女朋友急。」

「她從事什麼行業?有儲蓄嗎？」

「她工作很輕鬆，只負責打幾個電話，可以賺很多錢？」

「什麼行業這樣好？我沒聽說過。」

「你年紀大了，跟我們時代已經不一樣，我們賺錢是靠手機，電腦吃飯的。」

「不是販毒嗎？販毒，有些國家抓到要槍斃的，不能開玩笑，這是幹不得的。」

「不是販毒，絕不是販毒，她比我書讀得多，語文能力比我強，很吃香的。」

少白覺得自己孤陋寡聞，這樣好的行業都沒有聽過，真的落伍了。他的父親在少白家附近開了一間小雜貨店，大家很熟悉，母親求他幫忙，他也不方便拒絕。

恆宇一臉聰明相，心機深，說話不老實，他從事什麼工作，都含糊其詞的扯謊。實際上他的母親也被他耍的團團轉，丈夫坐牢後，店關了，她靠做清潔工維持生活，少白想攻破他的心防，引導他走入正途，一時還找不出破綻，只好伺機應變。

大約半個月時間，少白在報上看到一則從未見過的新聞，情治單位破獲一起電信詐欺犯，一千廿三名嫌犯被押送返國，在機場就歡天喜地的開釋，他像發現了新大陸，從椅上跳了起來：「賺錢容易，就靠這一手。」

他知道了底牌，又約談恆宇，故意把報紙攤在桌上，對恆宇說：「這些詐欺犯全是吸血鬼，把別人血汗錢都吸到自己口袋裡，弄得人家家破人亡，新聞記者來採訪我，問我對本案看法，恆宇，先說說你的看法？」

「我嗎？」他聳聳肩，身體向背後彎曲，毫無愧色說：「這是財富均分法，弱者向強者索回他的權利。」

「那跟強盜又有何區別？眼前痛快，將來要付出昂貴代價的。如果你的女朋友從事這種無本生意，趕快洗手別幹，出了事，就後悔莫及了。」

那一天，兩個人只談到這裡為止，聰明的恆宇明白老師在暗示他，可是，他覺得這種行業根本沒有風險，他的女朋友被押解回國時，身懷鉅款，當場就被釋放。

他覺得少白迂腐不堪，沒能抓準社會的脈動，於是，他們積極地籌辦婚禮，正當興高采烈時候，女朋友負責的新加坡電信詐欺機房被當地政府破獲，她這次沒有那麼幸運，被遣送大陸去，中國判了她十五年重刑，他整個人垮了下來，脾氣愈加暴躁，在酒廊內，時常跟客人發生口角。

「你們酒店是賣酒，還是賣肉的？老子在這兒乾坐了十分鐘，沒看到半個人影。」有二個客人好像進來找碴。

「對不起，老板，我們在裡面招呼客人，沒看見你們進來，讓你們久等。」女侍應生滿臉堆著笑容。

二個客人大概在別家飯店喝了酒才過來，已有幾分醉意，其中一位客人摟著女侍應生索吻，女侍應生推開他：

「我不是陪酒的。」

「不是陪酒的？妳兇什麼？」說著就賞她一巴掌。

女侍應生放聲大哭，恆宇聞聽跑了出來，跟客人起了衝突，客人兩個合力把他推到牆邊去，他在盛怒之下，抽出小尖刀猛砍兩個客人，當管區警察到達時，恆宇在慌亂中逃走了，不出二十分鐘，他就前往警分局自首，他記得少白對他說的話：「做錯事，就要認罪。」

老母從警局回來，告訴少白，恆宇因為聽你的話才去自首，少白感到很欣慰，他堅信沒有不可教育的人，只怕沒有教育的方法。

忙碌是幸福，少白把忙碌當作享受，但他身體承擔不了太繁重工作，當工作告一段落，就會找個地方休息，他最喜歡去咖啡館，台北大大小小咖啡館多留有他的足跡，這天他又上老地方去，一進咖啡館，才選好坐位，有一位老朋友已端了杯子走了過來！

「白老，難得在這裡碰到你，開心，我來陪你聊聊。」少白點了一杯濃味的曼特寧咖啡，還沒有接腔，他又說：

「最近，我好倒楣，剛蹲了三個多月黑牢出來。白老，你一定看過新聞，冤枉，天大冤枉，那個存心敲詐的泰傭，硬是誣賴我性侵她。」少白是看過新聞，不便發表意見，老朋友為澄清真相，繼續的說：

「她說，她身上的污穢物是我的，這怎麼可能，法官依據這薄弱證物，判我有罪。白老，你評評理。」

「據報導，嫂夫人找這個女泰傭私了，付了幾十萬新台幣，真的嗎？」

「唉！是呀！我們本來想息事寧人，她目的是要錢，給她幾十萬，好讓她回家蓋房子。記者缺德，說我們付了『封口錢』，有的形容更難聽，說是『遮羞費』，越說越離譜。」他的臉色很難看，額頭暴著青筋。

少白點點頭，吶吶地說：「那是的——你告訴媒體：『坐牢，當作修行。』夠瀟洒，政治人物坐過牢更吃香。」

「少白，我在牢裡三個月，胖了三公斤。白吃白喝，蠻過癮。」

少白不敢開他玩笑，彼此認識雖久，交情不夠，他只是想發洩內心不平情緒，發完牢騷就先走了。少白站著，伸個腰，看看腕錶已五點過十八分，端起杯底咖啡一口喝光。

回家正好六點半，基督教青年團契來電聘請他為男女感情專題講座，他一口答應，因為他已沒有教書機會，可藉公眾場合表達他對事事物物的觀察力和敏感度，他決定這次用創新的獨特方式來作男女感情的深度探討。

這是一個歷史悠久的基督教教堂，莊嚴肅穆，雄偉壯觀，有大、中、小三間演講廳，他在中型演講廳授課，全廳可容納二百多人，當天坐著百分九十五左右年輕聽眾，有男女學生，有社會青年，他一開場白就告訴大家，今天要先請大家觀賞一則真實錄製的愛情影片，然後請大家針對故事內容發表自己論點和不同見解，再由他作最後結論，聽眾哈哈大笑，鼓掌表示接受這種新穎的交流式互動。

緊接著就放映影片，內容是：

成群的倦鳥已飛向歸程，夕陽的餘暉正抖落在枯黃的衰草上，深秋，有太多的寂寞，只有斷雁的哀鳴點綴著無邊的蒼涼。

顧康南和他的女友金詩琦正依偎在衰草邊的短牆旁，這是一個風景區，但遊客非常稀少，也許這不是郊遊的季節，但卻是情侶歡聚的好時光。

康南是一個忠厚持重的男孩子，但他沉默寡言，不善於表達他的感情和思想；詩琦又太活躍，個性倔強，有一種永不服輸的個性。

他們已經認識年餘，是一對情投意合的男女，照感情正常的發展，他們應該會有一個很好的結局。在康南的心目中，詩琦什麼都好，只可惜詩琦和她表哥有過一段很好的感情，他一直以不能做詩琦的初戀人而耿耿於懷。不過，他知道這位表哥已不再跟詩琦來往，因為他們雙方家長反對得很厲害，主要的原因是，表哥家裡環境太差，而詩琦的父母又看不起表哥的家人。他沒有見過表哥，只知道他長得很帥。詩琦在談話中，有時也會無意中表現出對表哥的敬意和欽慕，然而，詩琦也一再強調，她不會嫁給表哥，她和表哥的感情早已成為歷史的陳跡了。

某天，當他們聊得正愉快的時候，突然，在三百公尺前方出現了一個神采鷹揚的男人，他向詩琦招了招手，詩琦立刻推開康南，並且對他說：

「表哥在那邊，我過去一下馬上回來。」

康南來不及回答，詩琦已像一隻小鹿，蹦蹦跳跳跑了過去。當詩琦和表哥站在一起的時候，他親眼看到表哥拍拍詩琦的肩膀，他們談得似乎很愉快，臨走時，詩琦還推了表哥一把，兩人顯得相當熱絡和親暱。康南很氣，但他是一個感情深藏不露的男孩，他沒有表現不滿，當詩琦回來時，他馬上表示：「詩琦，那邊景色很美，我們過去瞧瞧！」

詩琦點點頭，沒有發現康南有任何異狀，她只淡淡提到表哥：「我這個表哥真好，我好喜歡他！」康南「哦」了一聲，就把話題扯開。不過，從這一刻開始，他就決定離開詩琦，因為他是個「寧為玉碎，不為瓦全。」的人。他想，詩琦畢竟不是屬於他的人，他又何必強求呢？

從那一天以後，康南就不再去找詩琦，雖然他很愛她，但他絕不要一份缺乏完整的愛情。詩琦承認對康南印象很好，不過，她並不是非君莫嫁的女孩子，她總覺得自己是被康南甩掉的，她又何苦作繭自縛呢？

就這樣，康南和詩琦分手了，而且在很短時間內，詩琦就嫁給了她的表哥。誰都料想不到，詩琦的感情會這樣善變，即使她父母都錯愕不已，但生米已煮成熟飯，奈何不得。

詩琦終於成了劍萍的妻子，而康南仍然過著形單影隻的獨身生活。三年後，康南換了一份職業，當他去報到的第一天，就遇到一個劍眉寬額的男人，他認出那就是詩琦的表哥，因此，他衝口而出：

「你是詩琦的表哥嗎？」

「是的，我是詩琦的表哥。」他很親切地問道：「你認識詩琦？」

「不錯，我們過去認識。」康南淡淡表示：「你們有幾個寶寶了？」

「我們？」他不解地問：「你是說我和詩琦？」

「是呀！難道還有別人？」

「哦！」男的睜大眼睛望著康南：「你搞錯了，她是嫁給我一位遠房的堂弟劍萍，我叫劍昭，劍萍比我小多了，你瞧，我都快做爺爺了。」

「你說什麼？」康南抓住劍昭的胳臂，痛苦地再也說不出一句話。

「我全明白了。」劍昭心情惡劣說：「難怪詩琦突然嫁給我的堂弟，你對不起詩琦，他曾經告訴我，她的的確確愛你，而且——」

「而且，而且什麼？」

「而且，她打算跟你一輩子。」劍昭深深地嘆了一口氣：「罪過！罪過！真是錯誤的安排！」

「他們婚後幸福嗎？」康南好奇且關懷地問：「我想她是幸福的。」

「不，你錯了！他們是不會幸福的。」劍昭把他拉到旁邊，悄悄告訴他：「劍萍不滿她和你有過一段感情，婚後夫妻經常因你而起爭執……」

「我錯了，請你不要再說下去了。」康南捂住嘴，低下頭，痛苦地自責。

他們呆呆地站在一起，久久，一片沉默。

這是誰的過錯？一對無緣的人。

放完影片，燈亮了，請大家回味一下故事中重要情節再發表意見，大家交頭接耳地討論幾分鐘，有一個長髮戴眼鏡女生舉手發言。

「我不贊成女主角處理事情態度，她太任性，太倔強，她沒有把握好愛情，也不懂感情，她不僅沒有把誤會交代清楚，而且使誤會越陷越深。我認為，這個女孩子是愛情破壞者，不是建設者，她是失敗主角，要負最大責任。」

「我反對。」右側一個矮小男孩子跳出來反駁：「女孩子固然有錯，男主角要負更大責任，他多疑，用有色眼睛觀察事物，因此才會使事情變質，使愛情變質，使整個生命也變了質。他自作自受，能怪誰？如果是我，我一定會處理得比他好。」

聽眾發言極其踴躍，比他預期的還要熱烈，但因受時間限制，他只好喊「卡」。

少白聽完大家熱烈討論，內心很安慰，相信交叉式互動，有時比單向的說教，可能更能產生交流的效果。他初次大膽的嘗試，或許還有修正的必要，但能給年青朋友啟發式誘導模式，確有其實驗價值。

這個真實故事在一本女性雜誌刊登過，而且女主角譚雪燕親自參加過座談會，當她現身會場時，曾引起一陣騷動，她表示當時年輕，沒想得太多，失去一次真愛，就很難有第二次機會。少白把故事詳細情節分發給場內聽眾參考，他們肯定他授課的嶄新創意，並提供了若干不同觀點。最後，少白作了簡潔的結論：

「男女相愛，貴在相知；男女相處，貴在坦誠。康南觀察事物不夠細膩，缺乏求證精神，憑直覺判斷事理，造成無法挽回的遺憾。詩琦心中只有自己，忘掉對方存在，把簡單事抹上複雜的色彩。雙方都停留在觀察者立場，沒有將內心真實的感受告訴對方。愛需要包容與體恤，每一份愛都不可能十全十美，但每一個人都要為殘缺的愛寫美美詩篇。」

四

這是一個富庶年代，也是一個貧窮年代；這是一個熱情年代，也是一個冷漠年代；這更是一個多元而複雜的年代。

少白，這位狂人，他一生遭遇過許多交待不清的性與慾，見識過不少稀奇古怪的人和事。欣賞他的人，說他高智慧，高顏值；討厭他的人，罵他風流鬼，色情狂。經過長期的歷練，他的思想、感情、見解、處事模式，都起了很多變化，唯一沒有變化的，就是他的姓名三個字——龔少白。

他對於自己獻身社會慈善事業，有著怡悅自得感受，在各方密切配合下，工作均能按著預期的進度成長。中部發生大水災時，師父和師兄照他的意願，發起「靈白山徒步托缽勸募活動」，獲得各界慷慨解囊，熱烈響應，師兄決定將捐款分為兩大部份，一部分專款專用，用在救助水災受災戶身上，另一部分將愛延伸，化小愛為大愛，把餘款拿去救助亞洲地區的窮苦人民。

在救災過程中，有過許多感人故事。他親身目睹中部災區頓成水鄉澤國，滾滾濁流，氾濫成災，有位瘦小丈夫背著肥胖妻子，走過蜿蜒流動深溪，完全憑藉愛的勇氣，充分流露出真愛的可貴。

國內賑災工作甫告段落，他發願籌組一個服務團隊，遠赴海外展開獻錢獻糧的救助活動，將愛與關懷帶到人類被遺忘的角落。首站柬埔寨，在當地遇到另一個也是由台灣來的服務團隊，他們彼此交換了幾張名片，他的名片引起對方一位女團員的好奇。

「龔團長，你有聽過龔少佐這個名字嗎？」

「妳是誰？怎麼會提起他？」

「他是我哥哥。」

「我知道了，妳叫——」

「我是王貞寧，我們是同父異母的兄妹。」

「能夠在這裡遇見妳，感謝天意。我常常在國外遇到親友，冥冥中是上蒼巧安排。

」少白感慨萬千說：「妳有少佐消息嗎？」

「沒有，我正想問你。今天，我們要離開這裡，到泰國去。」

「妳們服務團到過很多國家，妳的感想——」

「我們服務對象全是貧民，他們生活很苦，求生慾望仍然堅強。這個世界，天生不平等，窮人跟富人有天壤之別，菲律賓義山公墓，氣魄非凡，有的子孫躲在裡面，辦酒席、打麻將、跳舞，歡樂終宵。一方面彰顯老華僑奮鬥精神，另方面說明下一代子孫忘掉先人蓽路藍褸的艱辛日子，公墓旁邊就是貧民窟，死人比活人過得舒服，有尊嚴。客觀說，這就是不公平。印度，一般人都過得很苦，有時一條破毛毯就是全部家當。但是，有位大富豪，家裡就用了一百多個佣人，叫人活活氣死。」

「依妳看法，如何解決這些貧富不均現象？」

「我嗎？我是小人物，一個市井小民，現在從事濟貧工作。依我看法，用我們這種服務窮人態度，也不失為平均財富好辦法。」

「妳的邏輯很好，給我上了一堂課。」

「少白哥取笑了。」她開心地推動行李箱：「我們六點鐘就要離開這裡。不聊了，多聯絡。」

儘管，少白知道有些事確是上天巧安排，但是他深信成功是靠鬥志非靠奇蹟。他記起二〇〇四年在雅典舉辦的奧運，女子百米賽跑大爆冷門，白俄羅斯白種人選手紀絲特倫珂（Yuliya Nesterenko），以十秒九三摘下金牌，打破美國廿四年來黑人稱霸局面。這位原先默默無聞的害羞女子坦然透露：「過去六個月裡，我卯足了勁加強訓練，我這第一名並不是無中生有。」他從貞寧身上獲得印證，成功不是偶然的。

柬埔寨觀光事業正在起飛，但仍是一個普遍窮苦國家，老百姓生活水準略差，到處都是矮矮的屋，低低的牆，在舉世現代化社會中顯得較為落後。

服務團一行三十二人，全是招募來的志願軍，自己出錢出力，將美好人性發揮到最高點。有一天，他們到一個鄉村參觀一所創立頗久的學校，負責人是由台灣去的女孩，她原在一家航空公司當空姐，為了實現自己理想，放棄高薪，到這窮鄉僻壤為貧苦孩子流血流汗，她的精神讓所有團員深深動容。學校只有二十幾個學生，老師二位，這些孩子並不怕生，看到這些外來客人，團團圍住他們，團員們把隨身帶來的糖果分給他們，孩子高興的又蹦又跳。這些糖果在富人眼中不算什麼，可是，這些孩子卻如獲至寶。

最後一天，到達暹拉（Siem Roap）南下的一個村落，全體團員同往一家貧民戶探訪，房子小得不到三個榻榻米大，團員都站在屋外曬太陽，二個團員陪著少白進去，男主人出去打工未歸，老祖父陪著小孫子在家接待客人，少白看到他們生活清苦，油然生起悲憫情懷，從口袋掏出幾張小額美金送給赤裸上身的小孫子，小孫子趕快把它放進短褲內，並且用右手緊緊抱住褲袋，口中嘀咕不停。經過導遊人員講解，才知道小孫子告訴祖父：「他從來沒見過這麼多錢，他要好好保管起來。」

少白聽得一陣鼻酸，把孩子抱在手裡，讓團員替他拍照留念。

這些團員，都是純真善良的年青朋友，他們熱情，有正義感，他們不是為賺錢而來，多是為奉獻犧牲而來。他們有抱負、有幹勁、有活力，表現得可圈可點。

貞寧到泰國去，少白第二站是越南。胡志明市煥然一新，他以前來過西貢，他依稀記得那些身穿白色長衫的迷人少女，而今長衫已出現多樣化色彩，街道變得整齊，高樓聳立，伸向無盡的蒼穹，展露出一股新興景象。

山城景色迷人，疏疏樹影，淡淡清風，落霞餘暉洒落在寂寞的磚瓦上，散發出幾許奪目神彩，在寧靜的草原唱起飄飄逸逸的晚曲，年輕孩子都忘掉白天工作辛勞，沐浴在大地輕柔的懷抱裡。

團員都盤坐在一大片如茵的碧草上舉行定期檢討會，場面強強滾。少白請他們發表對出國服務的感想，有一位男團員搶先發言：

「我是八號王漢儒。」依規定發言時要先報編號和姓名：「在出國之前，我遭遇到一件令我困惑的事情，使我懷疑幫助窮人是不是有絕對必要？」

「這種說法，我不苟同。」十五號團員提出反駁：「你應該把事情說清楚。」

「幫助窮人是我們出來服務主要目的，前面那位同學意見，我也不贊成，既然覺得幫助窮人有疑慮，那當初何必報名參加？」

場面火藥味濃厚，少白連忙加以制止，他說：

「大家可以自由發表意見，但不能有人身攻擊語氣，我們出來不容易，先聽聽八號團員的理由。」

「請大家息怒，我想舉一個實例來證明我的疑慮。」他清了清喉嚨說：「我的表姨媽，有一次在街頭，遇到一個女孩向她借錢，那個女孩對我姨媽說，她已經餓了一天，沒錢吃飯，請借她一百元，姨媽見她可憐，請她吃了一頓麥當勞雞腿餐，並好心帶她回家住，供她吃，供她穿。……」這個團員越說越氣憤：

「這個卑劣女孩，不但不感恩，趁姨媽外出時，把她家值錢金飾、玉翠等都囊括而去，姨媽氣得發昏，至今這個女孩下落不明，大家想想，假如是你，你會不會對人性產生動搖？」

他說到這裡，少白正想說話，突然，有一個女團員站起來說：

「那個女孩就是我。」

大家都睜大眼珠，把注意力全投注到她的身上，她慢條斯理說：

「我是二十一號沈月娟，我到這位隊友姨媽家，她的確供我吃住，但支配我供她使喚。我第一次幫她去取錢，對方是一位老婦人，她很慌張地把錢塞到我的手裡，連連說：『謝謝你們，謝謝你們。』我當時覺得挺好玩，拿了錢，還有人一再的謝謝。第二次我去拿錢，對方是一個白髮瘦小老爺爺，他淚眼汪汪對我說：『我的財產全在這裡了，以後不知道怎麼過活。』我聽後，覺得自己在做一樁違背良心的壞事，回來就跟阿姨說：『我不想再做這種違法亂紀的事情了。』阿姨立刻睜著大大眼珠兇猛的說：『妳不想幹，想幹的人還多的是。』當時我就下定決心，我要離開她的身邊。」

「我對她的人格感到不齒，我拿走她的財物變賣後，全數捐給一家婦女教養院，你們不信，可以去查。」她振振有詞的說，嗨翻了全場。

時間已超過預定時間六分鐘，年青人勇於說出自己心聲，其他沒有發言的都想借此機會表達自己的見解。

「我反對，二十一號隊友做法不盡合理，請在座各位想想看，阿姨是把別人錢騙進自己口袋，二十一號是把阿姨錢帶走，動機或有不同，但手段是一樣的。」十三號隊友嚴正反駁。

「我有意見。」十七號說：「二十一號隊友是取不義之財，做有義之事，他手段或許有待商榷，但動機絕對正確。」

「不能這樣說，她未經當事人同意，就擅自取走人家財物，何況她起初是否就打算把錢捐出來，說不定是害怕東窗事發，才慨捐給社福機構。」十三號搔著頭，振振有詞的補充。

「這是強詞奪理的話，我反對，我強烈反對。」廿四號捶著大腿，再用食指指著前方：「二十一號一片美意，被你們侮蔑了，她因為氣阿姨不法行為，才動了這個念頭，這是『義俠』作風，應該給她掌聲。」

會場真的響起稀落掌聲，二十一號很有風度的發言：

「我沒有你們說的偉大，也沒有你們說的卑劣，我一開始就想做點我想做的事情，我認為這些受害的老年人，晚景都不是很好，阿姨有手有腳，可以從事正當職業，不該欺騙老年人，詐欺他們血汗錢，我於心不忍，才做了這樣大剌剌的事情，我事後檢討，我做的是有瑕疵。」她謙卑的話又贏得掌聲。

「團長，我們還可以發言嗎？」有一位團員提出問號。

「可以，我們延長到八點半結束，請大家踴躍發言，把握時間。」少白鼓勵他們發表意見。

「剛才聽到十三號發表的高見，我有很深感觸，現在社會治安每況愈下，同時人心和道德也越來越差。不過，我還是相信人性是善的，需要加強教化與薰陶。」十一號團員憂國憂民地吐露心聲。

「我確定人性是惡的。」三十二號男團員衝口就說：「社會治安早已亮了紅燈，在重視名利和權勢價值的社會，人性崩潰，人心險惡，傳統美德完全蕩然無存，街頭巷尾經常發生槍擊、暴力案件，大家勾心鬥角，爾虞我詐，社會亂象層出不窮，社會道德日益淪喪，這是多麼可怕現象。依我看法，人性是卑劣的。我參加這個服務隊，就是希望用愛心去醫治或扭轉墮落的人性。」

「三十二號隊友意見相當寶貴，但是，我有不同看法，我認為人性是善的。」二十八號女團員提出她的觀點：「簡單說，三十二號隊友來參加這個濟貧救助服務，出發點就是善的。所以，人心是善的，人性也是善的，至於倫理道德的沉淪，那是被少數不良鼠輩所玷污的。」

人性的善惡在檢討會中引起廣泛討論，事實上，他們都是一群熱心公益的好青年，他們熱愛自己國家，也熱愛自己同胞，可是他們有一股無力感，這趟出來，看看別人，比比自己，覺得有愛心的地方，才有希望。

「我們討論了很久，是不是請團長替我們指點迷津。」有一位年長團員提出建議。

在經過將近三個小時的爭辯，少白早有自己腹案，他說：

「在我觀念裡，生命本是一張白紙，後來每一個人塗上不同顏色，有白的，有黑的，有淺藍，有墨綠，有各式各樣的色彩，因為在社會大染缸裡受污染後變了質。諸位，你們都是善良的一群人，本質是善的，所以嫉惡如仇，才衍生出一些不同的抗拒心理。

推動社會慈善事業，是一項艱巨任務，我一再強調沒有愛心、喜捨、善念、同體大悲的人格特質和犧牲意願，是辦不到的。」

少白想了一想，繼續緩緩說下去。

「嚴格講，二十一號團員未經阿姨同意，擅自拿走人家東西，犯有竊盜嫌疑，同時把別人物品拿去賤賣，都是違法不當的。不過，阿姨用詐欺手段詐取老年人錢財，就先犯了不可原諒罪刑。我們暫且不去追究他們刑責，他們的行為都有欠考慮。漢儒對人性的質疑，應屬正常現象，但凡事不宜以偏概全，我們盡心幫助窮人，是良知上覺醒，跟這個個案沒有關係，我們不能因噎廢食，不能因為有個黑人殺人，就認定所有黑人都會殺人。上帝給我們兩隻眼睛，除了讓我們看到自己內在陽光外，更重要的，要看到別人的困惱與憂傷。

做我們這份工作，需要強烈愛心和犧牲精神，不要受別人影響，動搖自己意志，我以前也頹喪過，厭惡自己，放逐自己，現在我活了過來，每天都過得很充實。各位團員，你們都是我的左右手，沒有你們，我是孤掌難鳴的。一個年青人，要學習鎮定、自信、不憂不懼、不慌不忙，培養高尚品格和判斷能力，注意細節，尋求智慧，寬厚樂觀，積極進取，做個有希望的人。

月娟和漢儒出發點都是對的，有檢討才有進步，有聲音才能改進，大家把誤會說開了，就不要再放在心裡，我們團隊需要你們，你們都是我最佳支撐力量。」

回來，休息了一段時間。

二星期後，少白到台北火車站準備搭高鐵南下辦事，火車誤點二十三分鐘，他只好信步到處走走，看看，他看到一大群印尼男女移工圍坐在大廳的地面上，男的多穿著沓里POLO衫，女的多穿著沓里傳統長衫，夾雜著少數印尼蠟染服飾（Batik Keris），個個情緒振奮，鮮蹦活跳，講著家鄉的話，喝著家鄉的水，唱著家鄉的歌，有的開懷大笑，偶爾也可以聽到哭泣聲音，男女情人拉著手，情話綿綿說不完，他們把濃濃的鄉愁全寫在臉上。少白很同情他們，更體諒他們，知道他們全是離鄉背井出外謀生的一群窮人，他們思念故鄉的一草一木，思念故鄉的一山一水，尤其是老弱多病的父母和親人，他們大多很孝順，辛辛苦苦賺的錢都匯回去，希望將來能夠蓋個新房，改善家人生活，他再苦都得熬下去，他有一個夢，這個夢就是脫離貧困，讓苦日子在他生活中消失。人生有夢，有夢最美。

從南部回來，少白把火車站看到的情景告訴柔爾，柔爾高興地叫道：

「我正想請你幫忙做件事情，不知道理事長有沒有困難？」

「什麼事，神秘兮兮的，妳講講看。」

「我父親一位朋友，家裡僱用了一個印尼外勞，整天愁眉苦臉，想請你跟她談談，化解她的鄉愁。」

「這還有什麼問題，我最樂意做，約個時間。」

「這星期天她休假，我約她上午九點來看理事長，好嗎？」

「沒問題，請她到診所談談。」

準九點，印尼外勞靜悄悄地走進診所，穿著寒酸舊衣服，黑皮膚，高個子，有一雙結實小腿，露著稀落牙齒，不安地望著少白。

少白親自遞給她一杯冷水：「外面熱，先喝杯水，聽說妳會說本地的話，是嗎？」

「我會說，我們老板說我講得很好。」她很有自信的說。

「妳是說的很好，妳在台灣多久了？」

「不，我先在香港做了三年半，然後人家介紹我來台灣。」她算了一算：「我先在高雄做了二年，那個老板兒子死後，我又到台中照顧一位老先生，差不多七年，他好胖，我抱他起床、洗澡好吃力，我的背部都挫傷了，最後，他還是死了，我才來台北工作。」她說話又急又快，不管別人有沒有在聽，只顧自己說個痛快：「我在外面做了十幾年工作，賺了很多錢都寄回家，我丈夫要蓋房子，結果房子也沒有蓋，錢都花光了，他一個人享受，全家挨餓。」

她很傷心，強忍著淚水，心情澎湃起來。少白親切的問：

「妳有幾個小孩？」

「一男一女，男的已經結婚，女孩在香港工作。我已經做奶奶了，孫子一個好可愛。」她打開手機拿拍攝照片給少白看：「這就是我的孫子，您瞧，可愛嗎？」

她的孫子捧著一個大碗在吃東西，一副天真活潑模樣，確實逗人喜愛。不過，坐在他面前的這個外勞，怎麼看都不像「祖母級輩分」的人：

「妳幾歲了？」

「四十五歲，不，四十六歲。」她說：「我十七歲就結了婚，人家笑我是『年輕的阿嬷』。」她說著，自己掩著嘴笑起來：「我還有個母親，今年七十四歲，身體有些小毛病，算是健康人，家裡全靠她負責打理，沒有她，我們的家早就垮了。」

「那妳為什麼不把錢直接寄給她？」

「我丈夫不答應。」她說：「我現在是把錢匯給我母親，丈夫向她要，她不給，丈夫就把家裡花盆一個個砸碎，誰都管不住他，他拿了錢就到前面茶室找女人。」

「妳的丈夫是妳母親幫妳挑選的？」

「不是的，是我自己挑選的。」她說話直來直往，是沒有心機女人：「我先生，有一次，他跟二個工人到我家修補瓦頂，他們三個都對我有意思，二個長得粗粗壯壯的，只有我先生是瘦瘦小小的，比我還矮，坐在地上，望著我偷笑，我有時也回報他一點笑容，就這樣，我愛上他，嫁給他，婚後才知道，他好吃懶做，到處打零工，沒錢就伸手要。」她本性善良，好想把心裡的話全說出來。

「我勸妳——」少白向她建議：「以後賺的錢，不用全部寄回去，在台灣開一個帳號，把部分錢存在裡面，等這邊雇傭期滿，再帶回去。」

「我有這樣打算。」

「開了沒有？」

「還沒。」

「如果手續上不清楚，我可以叫人幫妳忙。」少白問：

「妳還會在此地工作多久？」

「大約五年，到時回去，不能再來，仲介黃先生告訴我，這是規定。」

「五年，蠻長時間，好好把錢存起來，回去就可以蓋一棟小洋房。」印尼是男人天下，有時女人到外面打零工，男人在家享清福，這是每一個國家不同的風俗習慣，外人無權干涉，少白只好說：

「妳母親身體不好，多關心她，有空多打幾通電話給她。」

「有啊，我每天下午或晚上都會抽空打電話給她，可是，我丈夫搶著接，他表示如果再不寄錢給他，他就不要我。」

「印尼可以休妻嗎？」少白怕她聽不懂，補充說：「印尼男人可以任意不要妻子嗎？」

她沒有正面回答這個問題，堅決說：「我不想離婚。」少白知道她對丈夫還沒死心，愛他始終如一，丈夫會有良心覺悟的一天。潔西卡憋了一肚子怨氣，吐出來就減輕了不少重量。

這一天，正好是五月的第二禮拜天——母親節，少白同意用她自己手機跟她母親通話，她撥了三通都沒人接，她一下站起來，一下坐下去，心裡好焦急，她怕母親生病，家裡亂成一團。等著，等著，她的心跳得很厲害，終於，手機響了，她趕忙拿起來，一不小心，滑落地面，她好緊張，蹲下去，聽到母親聲音，母親病了，聲音很微弱，母親對她說：

「我是小感冒，不用擔心，一、二天就會痊癒，妳在外要顧好自己身體。」

「今天是母親節，我替妳買了一件台灣製衣服，過二天會請印尼商店寄回去，淺黃色，好好看。」

母女連心，她料到母親生病了，母親又老又醜，但她好愛，好愛母親，在她心裡，母親就像屋簷外那盞小燈，照著他們回家的路。

臨走時，從大袋子裡拿出一包印尼餅乾送給少白：「這是印尼最好吃餅乾，嚐嚐看。」

少白親自送她到門口，她才四十六，正值青春茂盛年華，然而，她背微駝，步伐沉重，少白很憐恤她的身世，二十幾歲就出來打工，如今依然窮人一個，是她選錯丈夫，還是投錯了胎。有人說，窮人缺乏自我價值和堅定自尊心，沒有積極爭取的意願，他很擔心，想讓窮人翻身，盡其所有力量都辦不到。

靜坐椅上，少白想起另一個也名叫潔西卡（Jessica）的外勞，她來自馬來西亞。有位好客的雜誌社社長，在家宴請少白在內的五位同業到家中吃飯，太太燒得一手好菜，由潔西卡端了出來，有人好奇的問她問題，她羞答答的說不出一句話。她也燒了一道炒雞丁，難吃無比，大家硬著頭皮吞進去，社長罵她：「笨，跟豬一樣。」可是一年後，社長再度請客時，她已能燒出一桌好菜，她把馬來的酸、辣、蒜和咖哩特色融和在江浙菜裡面，風味獨特，開胃補腸，大家都讚不絕口，一夜之間她多了一個「名廚」雅號。

過了二年，她回濱城開了一家小吃店，由她夫婦輪流掌廚，她是大廚，丈夫屈居二廚，生意好到嚇嚇叫，少白到濱城辦事，特意光顧她的小店，她好高興，堅持由她免費招待，少白不但付了錢，還給她少許額外「小費」。

多年來跟外勞接觸經驗，他的心得是，他們不求大富大貴，慾望很簡單，容易產生滿足感。知福、惜福、造福，過個平平安安日子。少白一直想寫一本「貧窮心理學」，但因到處奔波，閒不下來，成了一本未完成的「著作」。他深感人就像花一樣，抓不住命運的翅膀，就展現不出生命的張力。他一生為窮人服務，也為窮人發言，他多麼盼望，每一張窮人臉上都能綻放出燦爛的笑容。

不存期待的事情，往往會給你意外的驚喜。

夜裡，少白因急事到了香港，事先沒有預訂旅館，到達目的地後，去了兩家飯店都沒有房間，到了第三家，服務台也同樣表示抱歉，這時有一位先生走過來自稱是他的學生，然後，替少白去辦交涉，少白才順利住進了這家大飯店，事後才知道，他是這裡副總經理，當年他在一所大學讀書時，犯了嚴重的校規，教官堅決要開除他，當時他正選修少白的課，並央求少白代他說說情，少白的確替他出了一點力量，得到「留校察看」的機會，這件事少白早已忘記，也許由於少白幫了他一次忙，現在輪到他回報少白一次。

一個鐘頭過後，少白一位過去報界老同事，接到他的電話就匆忙趕來看他：「前輩，以後來香港，務必事先通知，我是香港通，吃、住、交通，一切包辦，免驚啦！」

最後載少白到太平山上觀賞一棟棟獨立的豪宅，再到山下實地察看一間間木造的小屋，他對港九貧富差距，有著不屑觀感。事實上，他十幾年前，就上過太平山頂，當時逍遙自在地坐在纜車上，欣賞香港五光十色的夜景，從沒有想過山下還住著許多衣食無著的流浪漢。

返回台灣，不幸事情發生了。

師父圓寂了，他很悲痛，道場上擠滿了僧侶，大家強忍著淚水，臉上掛著笑容，出家人的喜怒哀樂，看得比較平淡，師父雖說高壽殯天，在在說明沒有終身不死活佛，道行再高，還是要走上這條告別的路。他對自己不再有任何奢求，他只希望無虧無欠的來，無虧無欠的走了。

黃昏街燈淒迷，小巷冷冷清清，有隻土黃狗垂頭喪氣地走進暗巷，他的心隨著小狗同步下沉。

傍晚，他上國內最大一家書店購買新書，書店佔地寬敞，清靜雅緻，店內消費群百分之九十五以上全是年青人，他們有坐、有蹲、有站的在看書，他發現沒有這些顧客，台灣書店早已一一倒閉。買完書，他又順便拐進書店內左側附設的咖啡座，裡面擠滿年青人，每張桌上都放置一台精巧筆記型電腦，各忙各的在操作閱覽，並使用通訊軟體，設置「一鍵撥打」的快速功能，加強群組網路聯繫。鄰桌三、五個年青人低聲地討論著關懷空巢老人的服務細節。這時他深深體認到年青人好學善良的一面，那些墮落貪玩的孩子跟他們相比，簡直有太大差別。他私心暗喜，台灣有救，沒救的只是少數自甘毀滅的人。

走出書局，在大門口的石階上，走過來一個年輕的女學生很親切向他問好，他還沒回神，女孩子已經開口：

「前幾天，我在基督教堂聽到您的講評，我收獲很大。老師也常來逛書店嗎？」

「以前常來，現在不常。」少白坦白回話：「妳喜歡看書？」

「我很喜歡，可惜太貴，我買不起，有一天我身邊有錢，一定買很多很多的書，我想將來自己擁有一個書庫，擺在書櫃上，愛看什麼書，就可以伸手拿來翻閱，那該多好。」

「只要妳設定好目標，這應該不會太難，妳這樣好學，是個好榜樣。」

「現在出版印刷業太發達，書太多，這家書店就像一個書海，有時我整天蹲在那兒看，頂多看一、二本。看不完，越看越多，永遠也看不完。」

「由於知識爆炸，好書源源推出，出書的人辛苦，看書的人更辛苦，妳能夠不斷吸收新知，難能可貴。」

他們站在石階上暢談了將近二十分鐘，少白有點腳酸，走到左邊的石板上坐下，女孩心裡不安，對他說：

「我請老師到樓上咖啡屋喝杯冷飲。」

「不用了，我剛喝過。」

她手裡抱著一本新書，走下石階。

多年來，少白在很多地方，遇到很多年青朋友，彼此談了很多話，交換了很多意見，感受到他們的坦誠和率真。如今年青人，腦筋好，反應快，硬把老一代比了下去。他鼓勵他們多看書，始能涵化出既老成穩重又童心尚在的突出靈性，並塑造出高貴又端莊的超邁形象。

人生潮起又潮落，花開又花謝。

致遠出獄沒多久，就因病去世，把遺體器官捐贈給五個病人。家棋兒子結婚時，他是最佳介紹人。

他現在最不放心的是小妹孝慈，她堅持要他到日本欣賞櫻花，只好由柔爾和慧靈陪他去了一趟日本。

他在日本玩得很痛快，由小東小南兩個姐妹輪流駕駛，先由福岡西邊開到福岡東邊，再由福岡東邊開回福岡西邊，沿途有說有笑，好不開心，他欣賞日本剛毅不屈精神，再大苦難都能熬得過去。接著他們搭乘國內班機到東京去，孝慈丈夫島崎藤村已能說幾句簡單生澀中文：

「歡迎你們到日本玩，好好玩玩，我會好好招待你們。」

他的親切，紓解了少白旅途的疲勞，小東小南都已長得亭亭玉立，不但不再怯生，還緊跟著少白問長問短，日本之行，給他溫暖，給他喜悅，給他永難忘懷的回憶。東京是日本的最大城市，四月天，來到清宿御苑，剛巧櫻花盛放，花色緋紅，萬種風情，無奈櫻花命薄如紙，一陣風雨，三、兩天之內就被摧殘得飄零四散，少白隨手撿起地面一瓣櫻花，聞聞清香，惋嘆「人多如櫻花一樣薄命」，少慈笑他「花痴」。

少慈希望他們來年秋天再來日本玩玩，到時上札幌去，滿山滿谷，盡是紅葉，放眼四顧，目眩神迷，美呆了。她告訴少白：

「仲秋的札幌簡直像喝醉的美人，每一片葉子都像穿著深淺不同紅裳的彩蝶，朦朧起舞，活色生香，無疑是視覺上一大享受。」她加重語氣說：「前年秋天我有一個朋友從西班牙到日本來玩，我帶她去札幌玩，她看到楓葉，一住就是三天三夜，玩到不想回家，日本花美，雪景也美。」

「好極了，我想找個秋天，再來日本一趟，看看楓葉或雪景，我喜歡，少慈應該做個詩人，把楓葉形容得如同美女化身。」少白第一次發現少慈有寫詩天份。

夜晚，慧靈講明由她作東，少慈找了一家台灣小館，老闆夫婦都是來自台灣，跟少慈一樣，讀完書，就留在東京經營小生意，他們看到自己同胞，格外親切，柔爾好奇的問：

「台灣料理在日本吃香嗎？」

「我們虧了兩年，才打出名號。基本上，日本人蠻喜歡台灣料理。晚上他們喜歡一邊喝酒，一邊小吃，我們價錢公道，生意不錯。」

「每一行業，起始困難，找到捷徑，就方便多了。」慧靈正色的說。

「抱歉，我們要去招呼客人。」六個日本男女走了進來，接著又來了一對日本老夫婦，老闆高興得合不攏嘴來。

在日本，能夠跟孝慈一家人團聚，他感到是生平一大安慰。孝慈為了讓哥哥開心，讓他看最好的花，吃最好的菜，賞最好景緻。他喜愛日本風味，更感激妹夫的熱情，日本嬌艷櫻花，整潔街道，親切禮貌，精美紀念品，都讓他印象深刻。

他是閒不下來的人，一回台北，又忙得昏天暗地。

週二上午十點左右，一對老夫婦一路吵進診所，老太太懷疑老先生每晚牽著一雙大狼狗去溜達，一去就是二、三個鐘頭，一定去找「老相好」。老先生聽後就嚎啕大哭：

「別聽她胡扯，她有病。」

「你才是神經病，我沒病。」

少白一聽她的語氣，和她動作表情，猜想她罹患了初期阿茲海默症，多疑又健忘，但未便出口傷她，老先生傷心地敘述全家老小都被她搞得雞犬不寧。少白安慰老先生：

「你要狗，還是太太？」

「我要狗，她走了，我們家裡才能太平。」

「假如她病情越來越嚴重，有狗，又有什麼用？」

「我陪她去死，我們全家快被老太婆搞瘋了。」

「下輩子，我變豬都不會嫁給你。」老太太彎下腰，閉上眼睛，不理他。

「妳變成豬，我連豬肉都不吃了。」老先生又加了一句狠毒的話，老太太心中大大不爽。

「她還沒有你想像那麼嚴重。」少白苦口婆心勸慰：「你要多帶她出去走走，吃些小館，或者到國外散散心，最好跟家人一塊去。」

老先生接受了少白建議，老太太病情果真顯著改善，全家感激少白，在馬來西亞買了一個錫杯送給少白，表達誠心誠意的感恩。

醫生勸告少白，暫時放下手邊工作，到國內外走走，趁著還能走動時候，他選擇加州，他喜歡舊金山的氣候，舊金山的晨霧，以及漁港碼頭落霞的餘暉。

他特別特別喜歡霧，覺得霧有一種朦朧的美感。在霧中行走，整個人彷彿在雲深不知處的仙境中搖曳輕盪，當霧消褪時，才回到現實的生活領域，看到滿地的紙屑和庸俗不堪的現狀，在強烈對比下，知道不要太執著追求完美，包容和憐惜才會使完美獲得肯定。人生像霧，霧也像人生，他曾經有感寫下一首「舊金山的晨霧」短詩：

橋畔的霧水已經稀薄，
盡頭有爬行小蟲在挺進，
望不穿的樓臺，
擠出一顆顆醉人的眼神。
風吹著仙袂飄舞，
霧抖掉塵世的鬱悒，

行人匆匆擦肩而過，
寧靜中諦聽乳鴿的輕吟。

一色朦朧，盡是仙女下凡，
路旁綠樹莫不振臂歡騰，
我原是一個陌生的使者，
何曾留下不解的宿緣。

舊金山的大街小路他多不陌生，他去看老友朱磊，他們將近十年未曾見面，聽說他罹患青光眼，太晚醫治，接近失明邊緣，他對少白的出現，既驚愕又激動：

「我現在還能夠看到你模糊影子，下一次恐怕就沒有機會了，好好珍惜，機會不多。」

老朋友見面，溫馨感人。朱磊把臉貼近少白的臉龐：

「你瘦多了，脫了形，不行，要好好調理調理。」他真誠口氣說：「老龔，奉勸你，好事是要做，不能賠上性命。」

「朱磊說的也是實話，做善事要當心自己身子，人老病痛多，朱磊被青光眼弄得寢食難安，多不方便，少白，我們都是上年紀的人，先顧好自己，再想別人。」朱磊妻子也殷切勸他。

「少白變太多了，不但外表變，連內心都變了，變得我不認識，雖然我不贊成他像個苦行僧，太為別人著想，不過，他還能獨來獨往，不像我看不見，寸步難行，可見多做善事，是有好報的。」朱磊好像頓悟到什麼，語氣有了一百八十度轉彎。

少白本來想說：「我行善不是求好報，而是盡心罷了。」但改口說：「美國醫學如此高明，早就該去醫治青光眼。」

「年青時忙著賺錢，老了有點錢，早已耽誤了醫治時間，將來眼睛全瞎，可悲哀呀！少白，千萬不要學我，老朋友誠心相勸，注意身體，沒有健康，一切都將歸於空無。」朱磊說的都是推心置腹的話。

少白全聽了進去，但是，他辦不到。

隔天，另外一位老同學彼德張（Peter Chang）的妻子艾妮絲（Alice胡曉曼），剛好有五位親友從加拿大來，彼德堅邀少白一同去作近郊短程旅遊，他們借了一輛七人座廂型車，由曉曼駕駛，彼德陪少白聊天。

回程，路過金門大橋時，彼德說了一則發人深省的故事：

「傳聞，過去在金門大橋，凡是自殺的人，全從右邊跳下去。有一次，有位失意的人又從右邊一躍而下，卻被路人救了上來，問他為什麼自殺的人，都從右邊跳下去，不從左邊跳下去，自殺的人回答得很妙：『從前死的人都在右邊，我怕死後寂寞，才從右邊跳下去。』」大家都開懷莞爾，始知死人也怕寂寞。

寂寞確是難受，沒有朋友，沒有親人。孤獨跟寂寞常常結為「連體嬰」，但自願忍受孤獨的人，可以享受孤獨的樂趣，其中有喜悅，也有誘惑。所以，助人也是助己，可以驅散寂寞，終結孤獨。他更深一層體會到，悲憫往往是寂寞和孤獨的產物，惟有當悲憫與自己生命或生活結為一體時，它始能發揮出驚人的耐久性，他不斷將悲憫貫穿寂寞讓它散發出內在的慈光。他知道，有人一輩子做善事，都沒有被人發現，或者死後才被傳揚出來，這樣看來，他是不值的，其實不然，因為他心裡很平安，這種收獲是看不見的，也是無法估量的，所以，許多美事，善事，好事，值得做的事，先做了再說，從無守株待兔的念頭。少白只顧施恩，不求報恩，因此他做得很起勁，不受任何人影響而改變自己初衷。

少白聽完彼德的寓言，也說了一則生動的真實故事。在歐洲，敘述一位夜歸的少女，遭一男士強暴，她事後訴之於法，歹徒特列曼尼諾夫經逮捕判刑，等他坐牢出獄後，親友多鄙視而遠離他，他深感愧赧與無聊，前往「花街」排遣苦悶，但他意外發現被他強暴的女郎竟是一名娼妓，經嚴詰女郎既係娼妓何以要控他強暴，該娼妓冷冷回答：

「我是娼妓，已經夠可憐了，你卻用暴力佔有我身體，因為這是我心不甘情不願的事情，所以我要控告你。」

這則警世故事，充分證實人均有高貴人格和絕對自尊，富人有，窮人也有。少白想藉這個故事，說明窮人也要受尊重的。他想起歐洲有個國家，在風化區設置「櫥窗女郎」，一絲不掛地站在櫥窗裡，任憑尋芳客觀賞與挑選，簡直是對女性人格褻瀆和道德污穢，他心裡有強烈厭惡感。

曉曼把車上七個人全載到越南館吃河粉，個個吃得津津有味，覺得比山珍海味還開胃。

胖嘟嘟老板娘抱著少白又親又吻說：

「好多年不見，你怎麼瘦得這樣多？」

少白最怕人家說他瘦，摸摸臉頰說：

「妳這個店不是在斜對角，幹嘛搬過來？」

「只隔一條街，房租貴三成，只好搬過來。」少白在美國時，常來這家店光顧，老板娘跟他很熟，她嘆了一口氣說：「現在是有錢人天下，光收房租，就可以在家吃飽飽的。」

「喂，妳那個女兒上那裡去了？」

「到紐澤西去，嫁個黑鬼。」她好像還在氣頭上。

「嫁誰都一樣，只要對她好，黑人、白人，又有什麼關係？」少白敦厚的說。

「我說是啊，薛尼鮑迪對安妮那樣好，又會賺錢，別氣了，兒孫自有兒孫福。」老板從外頭匆匆走了進來，聽老婆正對客人抱怨，回過身對少白說：「現在是什麼時代了？種族歧視是不對的，黑人領袖金恩說他有一個夢，那個夢就是要實現愛和平等，不要聽我太太抱怨。來，吃河粉，我們家河粉全美第一，別無分號。」

老板的廣東腔，別有風趣，客人都會心微笑，當天，他招待每桌一份牛蒡絲。車上五位乘客，都是彼德和曉曼親戚，少白跟他們極少交談，大家客客氣氣的說些客套話，餐後彼德把他送回旅館，他在大廳坐了幾分鐘就回到臥房去。此行最大安慰，證明他雖抱病旅遊，大體來說，是不成問題的。

霧啟發他許多靈感，對一個人太過了解，有時會意外發現他人格上若干瑕疵。他在灣區認識一位「坤老」，看似含著金湯匙出生的富二代，擁有矽谷近郊一棟富如皇宮的巨宅，室內走廊掛滿世界名畫，還有一座日近斗金的大超市，並娶了一位年輕貌美的少女。少白旅遊不忘工作，專誠去拜訪他，想請他捐點錢，開門的是一個面貌猙獰的中年婦人，告訴少白「坤老」不在，少白進一步問道：

「幾時回來？」

「不知道。」

「他去那裡？什麼地方可以找到？」

「監獄，去監獄找！」她不耐煩的關上門。

少白碰了一鼻子灰，感到很無奈，但並不灰心，他已經很習慣，知道從事他這門工作的人，必須忍受這種待遇，人心如霧，有時是很難避免的。

在舊金山，他去近郊參觀一所由當地老華僑經營的老人院，規模不大，共有兩層樓，行動不便老人多住在樓下，有一個很大的康樂中心，專供老人休閒活動用的，他去的時候，看見不少老人在下圍棋、打乒乓球、玩手機，前兩天剛有一位老奶奶往生，他們臉上都積壓著許多擺脫不掉的落寞表情。

這個老人院住的全是華人，有的來自台灣退休的校長、工程師、公營機構副總經理，有的是大陸退休公教人員、退伍軍人或商人，少數是當地上了年紀的老僑胞，他們興趣來時，會湊成四個人打打小麻將，有一種大家庭的味道。

禿頭的副總，知道客從台灣來，應知台灣事，放下手邊英文雜誌，上前關懷地問：

「台灣治安還好嗎？」

「安定，有零星磨擦，沒有傳聞嚴峻。」

「景氣如何？我侄兒大學畢業，月薪只有十八K。」他語氣並不友善：「一個人生活都有困難，那夠養家生子？」

「是少數人情況，大體上，都可糊口。景氣不好是事實。」

「會不會發生暴動？」

「政黨有競爭，也有鬥爭，不至於。……」

「大家都是一家人，何必真刀真槍的幹！」

「我也是這樣想，你住在老遠地方，還關心國家大事，不簡單。」

「人不能忘本，飲水思源是做人基本信念。我已經六、七年沒有回台灣了，想念那個地方。」

「那麼該抽個時間回去看看，台灣還有親人嗎？」

「沒有了，一個都沒有。」副總稍微抬眼，徐徐說：「有個遠房表姑媽，我在台灣時，就很少來往。」

於是少白替台灣大做宣傳：「近幾年，台灣進步神速，高樓蓋了不少，一〇一大樓就是台灣新地標。」

「一〇一，一〇一大樓我聽說過，上回，我表哥回去觀光旅遊時，拍攝了幾張一〇一相片給我看，很壯觀，台灣確有進步。」

院長出現，中斷他們談話。

院長只知道少白從台灣來，不知道他的背景，開玩笑說：「將來退休了，歡迎你來院裡住。」

「可能性不大。」少白認真說：「我倒想在台灣籌設一個類似這樣私立養老院，收費儘量低廉。」

「不容易，不容易，我們已經辦得很吃力。」院長眼神嚴凜地望著少白。

歸途中，飛機在半空中遇到亂流，機身晃盪不停，上下搖擺，旅客都露出驚惶的神色，機長播放談話，籲請乘客綁好安全帶，不要起身走動，空中小姐一再安慰不要恐慌，亂流會很快過去，乘客個個低頭默禱，每人心中都有自己的神，眾神齊集在飛機上，少白閉目靜思，深信該死的活不了，該活的也死不了，他把生死看得很豁達，大約十二分鐘之後，飛機就逐漸平穩下來，乘客都鬆了一口氣。然而，不到十分鐘，飛機又抖動起來，忽上忽下，忽左忽右，擺動得比剛才還厲害，有些乘客發出驚呼聲音，後面那位老先生已嚇得滿身尿水，一位空姐搖晃地走到乘客身邊安撫他們：「不要緊張，沒事的。」驚懼神色湧現在每張臉的表情上。

越過高高低低山巒，衝破白白藍藍雲層，飛機恢復了平穩，空姐拉開每一個窗巾，機倉播放柔和音樂，大家喜形於色的相互慶賀，空姐端上飲料，少白淺嘗一口，回想每次乘坐飛機驚險滋味，懂得享受，再危險也是甜蜜，生老病死本是一場遊戲，一切事物的榮枯、興衰、成敗、吉凶、好壞、得失都有痕跡可尋，也都有微兆顯現。

飛機安抵機場，乘客都一一出關，在出口處他看到一張憔悴的臉孔，左顧右盼地好像在人群中找人，他沒有注意到少白，眼光餘波好似掃到少白身上，少白微露禮貌的笑容，他再回頭望了望少白，擠開人群走向少白。

「龔先生，你在班機上有沒有看到我太太，她說可能坐華航這趟班機回來。」

「我沒看到，或許我沒注意。」少白略作沉思：「你再等等下一班，說不定她沒有趕上這一班。」少白帶著迷惑神色。

「不會的，她騙我，她說了三次要回來，三次讓我撲空，可惡。」他越說越火，不斷罵髒話。

「我得去坐機場巴士，你再等等。」

「今天我送你回去，我的車子停在機場停車場。」

少白不想搭便車，推著箱子想走，他聲稱極為順路方便，少白不好意思讓對方覺得他太「假仙」。

航廈到處漏水，地面潮濕髒亂，旅客大大惱火，這位老鄰居把氣全發到這上面去：「這些貪官污吏，拿了鈔票不辦事，機場整天敲敲打打，修修補補，真是一群窩囊貨。」

觀光事實又稱無煙囪事業，主要是讓觀光旅客在淨化環境中享受到尊榮的待遇。機場是國家門面，如果遍地水滑，著實大煞風景。少白不同意他說的粗俗的話，但同意他的觀點，因此說：

「這個航廈需要好好整修，下次你來接太座，說不定已經大幅改觀了。」

老鄰居默默不語，駕著車子往北二高方向直駛上去，車上交流道，他們進到中途休息站歇歇腳，伸伸腰。

少白患了健忘症，老記不起人家姓名，在途中左思右想，想起他姓「林」。

「我們是芳鄰，我看你老去，你也看我老去，我們都老了，歲月真是不饒人。」他握著駕駛盤，兩眼注視著前方：「我很久不開車，有點生疏。」

「自然啦，這是正常現象，不老才是妖怪。」少白愉快地笑著說。

「我太太不這麼想，她嫌我老，在外面盡交年青帥哥，氣死我。」他敲了一下方向盤：「她說到美國住半年，半年就回來，現在已去了八個月，還不打算回來。你說，我能不生氣嗎？」

「是我也生氣。」少白朝他望望，溫婉旁敲：「會不會她對你有誤會？」

「被你猜中，幹我們生意這一行，必須應酬，晚上陪客人上酒廊喝喝酒是很平常事情，她莫名其妙生氣，說我可以半夜回來，她也要半夜回來，簡直造反，連我兒子都不滿她的行為。」

「你有幾個兒子？」

「三個，二個在美國，小兒子在我身邊。」

「嫂夫人到美國住在老大還是老二家？」

「她住在她弟弟的家，她不接我的電話，想離婚。」

「她這樣氣，一定有她道理，現在女權抬頭，女人勢力愈來愈膨脹，說不定，你三個兒子都站在她一邊。」

他點點頭，車子隨著歸途前進。他送少白到了門口，下車幫少白開車門，握著少白的手說：

「我想明天打個電話給她，告訴她，我去接她回來。」

「這是最好辦法，老夫老妻要忍讓一點，找個嫩妻不會幸福的，林先生，我們是老鄰居，說的都是真心的話，有不中聽地方，多多包涵，謝謝你載我回來。」

他遞給少白一張名片，少白才知道他是一家上櫃公司負責人。

少白返回台北，馬上將舊金山老人院實際情形告知柔爾：「我有這個心願，但是，我已力不從心，將來希望由妳來完成。」

「現在醫術高明，理事長生命力又那麼堅強，一定可以活到一百歲。」柔爾怕他泄氣，說些安慰的話。

「我活一百歲，可把妳累壞了。」

他茫然思索，人類浪擲在虛榮裡的時光，臉色略顯蒼白，精神虛累累，黯淡心情延續了半個鐘頭。

五

少白久住敦南這塊社區，跟左鄰右舍相處得十分和睦，大家並不關心他的來龍去脈，只知道他在大學教過書，尊稱他為「龔教授」。

在大樓大約五百公尺右前方，有一間外國商人獨資經營的浪淘沙西餐廳，像似酒廊，又像似俱樂部，沒有色情，純粹是公開的交際場所，裝飾新穎，格調時尚，長長的，雅雅的，有如一條長龍，客人都暱稱它為「仙洞」。仙洞白天客人稀少，晚上有樂隊伴奏，混雜著三教九流不同國籍的人馬，每人都懷著奇奇怪怪動機，希望在這個神秘仙洞，找到一些奇遇，希望在這裡找到交換學習語文的朋友，希望在這裡認識可以結為貿易的夥伴，希望發生一次「一夜情」的艷遇，甚至碰上可以廝守終身的伴侶。每人都編綴著可遇不可求的綺夢。

實際上，在仙洞發生過一些精彩的愛情故事，年青朋友都希望在這兒成為幸運的中獎人。少白住家附近的洗衣店女兒就經常在仙洞「尋寶」，她盼望交到一個洋人，跟他學習英文，將來出國留學可以派上用場，少白常到她父親開的店洗衣服，數度提醒她：

「這種地方，不適合妳去，少去為妙！」

「不會有問題，我有幾個同學常去那裡，是高尚娛樂場所。」

大家交情淺薄，少白不便過度干涉。

這位五專畢業的小女孩，真的在仙洞認識一個相貌平平，滿腮鬍鬚的洋人，大家談得很開心，不久就上床表演激情遊戲，小女孩本來只想跟他學點語文，沒想到竟然一廂情願地愛上他，這個外國人僅僅是到台灣接洽生意，並且據實告訴女孩子自己已經結婚，還有一個八歲大的女兒，可是這個女孩對他一往情深，洋人走後，她才發現已經朱胎暗結，還把孩子生下來，父母很不諒解她，洗衣店老闆大大動怒：

「妳生下這個雜種，教我們怎麼收拾？」

「妳太不爭氣了，龔教授還勸妳不要去，妳偏不聽，現在可好了，沒有結婚，就生個洋娃娃，叫我們怎麼做人？」老闆娘個性溫和，這天也怒火沖天。

女孩子哭得雙眼紅腫，沒有吭聲，第二天人不見了，留下一個沒有爸爸的混血兒。

老闆娘遇到少白唉聲嘆氣說：

「恩可走後，恩可爸三天三夜都睡不著覺。我們家快塌下來，唉！怎麼辦？」

「發生這種事情，妳的心情我多少了解一點。」少白安慰她：「現在社會很開通，妳就把他當做多一個孫子，也不會有人太注意別人家私事。回去，勸勸老闆，雨過就會天晴的。」

五年後，真的雨過天晴，恩可回來了，牽著洋娃娃，在老闆夫婦陪同下，越過安和路那條寬寬的大馬路，老闆心廣體胖，變成大胖子，遇到少白，拍著胸膛，風趣說：

「教授說得對，我現在當爺爺了！」

少白永遠是閒不下來的人。

「心理診所」連續接了幾個個案，少白忙到沒有時間再上「生命線」幫忙，週末，接到一通電話：

「龔老師，我是生命線田愛蓮，很久不見您，好嗎？」

「很好，有事找我？」

「是的。」愛蓮說：「最近接到一個女孩子電話，前後二次，她哭哭啼啼說不想活了，要去自殺。」

「我勸她，有任何煩惱事，可以在電話中講，或者到會裡談談。她沒有回聲，就切斷電話。」愛蓮笑著誇獎他：「我們想，龔老師在這方面閱歷多，經驗豐富，說服力強，想請老師幫忙處理這個個案，好嗎？」

「好吧！」少白痛快說：「我怎麼跟她聯繫？」

「我們已在答錄機中錄有她的電話。」

少白抄下電話號碼說：「我會找個適當時間，去了解她想不開原因。」

他左手托著椅把，摸著下腮想了很久，撥通了電話，對方傳來正是女孩子聲音，他放慢語調，輕輕鬆鬆的說：

「我是心理學老師，在生命線服務了很久，很多年輕朋友都喜歡跟我聊天，妳想跟我聊聊嗎？」

「聊什麼？」

「隨妳聊，我想當面聊比較好，我們約個時間，妳幾時方便，明天上午如何？」

「上午我沒空。」她說：「我想下午吧！」

「就下午，下午三時，我們在世紀大飯店六樓咖啡廳見面，那裡人少，很安靜。」少白告訴她，自己長得瘦瘦的，高高的，手裡拿著一份報紙。

下午三點，她沒來，少白耐心的等著，這家咖啡廳，場地很大，客人真少，包括他在內只有二桌，靜悄悄的，連吸呼聲音都聽得到。到了三點四十分左右，走進一個眉清目秀，衣著素雅的女孩子，少白知道就是他約的女孩，連忙站著迎接她：

「這個地方還好找嗎？」

「很好找，我因為有事，耽擱了。」少白明白她因為考慮該不該來，才遲了四十分鐘，他想儘量放鬆她的防衛心理，談些無關緊要事情。此時，侍者端上二杯熱騰騰特製咖啡：

「常喝咖啡嗎？」

「我喜歡。」她漫不經心的回答。

「我也喜歡。時尚年輕人都愛喝咖啡。咖啡喝多了，傷身；但少喝，過癮。平時還做什麼消遣？」

「平時嘛？」她歪著頭想著：「我沒有太多嗜好，就好吃。」

「我也好吃。」少白順著她的話說：「有空我請妳小吃。」

少女回頭看看櫃台，男女服務生，再看看牆壁上掛的抽象畫，把送到嘴邊咖啡放了下來：

「這咖啡裡會摻有安非他命？」

「放心，絕對放心，這樣大的店，怎麼會做這種事。」

「我的同學龔茵河就因為喝了這種飲料自殺了。……」雙目低垂，她凝視自己雙手說：「都是我的錯，我該死。……」

當她提到「龔茵河」名字時，他就恍然大悟，他仍然不動聲色，非常懇摯安撫她：

「龔茵河因心理有病，想不開才自己結束性命的，跟妳無關。妳雖然間接害了她，但是坐過牢，已經償清了心債，只要誠心悔改，人們都會原諒妳的。」

她抓緊衣袖，心咚咚作響。

少白怕不能打動她的心，不惜以自己為例：

「以我來說，我早年犯了比妳還嚴重的蠢罪，我有過自殺衝動，然後我出家，我悔過，我完全覺悟過來，妳看，我現在不是活得好好的。」

「你說的都是真的？」

「我用人格保證，句句實話。」少白小心的，誠懇地說：「我曾經有過一段生命低潮期，周圍的人，都對我曲解、誤會、輕視、污蔑，排斥我，我好痛苦，我沮喪，消沉，頹廢，遠離塵囂，躲進深山，一呆就是三年。出來一看，整個世界都變了，我告訴自己，我不能倒下去，我要站起來，做個有志氣的重生人。」

少女臉上泛起幾絲難得笑容：

「茵河的死，真的跟我沒有關係，我老在夢裡看見她。」

「不能說一點關係都沒有，但是，妳是受人家利用，只是從犯，不是主謀，所以，妳的刑責較輕，懂得悔改最重要，死了一個茵河，不能再死第二個茵河。妳看，茵河死還沒多久，社會已經忘掉了她這個人，如果不是妳提起，誰記得，自殺是弱者行為，毫無意義。」

「以前我很好強，覺得自己很行，現在我好自卑，覺得自己像過街老鼠，為什麼？」她搖搖腳，抓抓臉，這些小動作洩露出她內心的不安。

「因為妳太鑽牛角尖，以為自殺可以解決問題，實際上，只是把問題更加擴大，自殺不是積極的『求死』，而是消極的『想死』。自殺的人，想用這種方式來逃避痛苦、贖罪，或者免罰，但無論如何，他內心深處一定受到劇烈的震撼。所以，妳要多愛自己一點，讓自己活得健康、平實，活得滿懷陽光的喜悅。」

女孩臉上笑容更加燦爛，少白知道他的話女孩可以接受，就趁機勸說：

「忘掉過去，重新來過，要好好把握，明天將是另一個生命起點。希望下次看到妳，妳比現在更有精神。」

女孩欣然接受少白勸告，主動伸手向少白握別：

「我叫林雅琴。」她說：「謝謝您的金言良語，我會用心記住，好好悔改，重新出發。」

他記起她的名字，反覆在想，是社會張開罪惡的網，讓年輕人盲目的跌進網裡，以致犯罪年輕化，為什麼犯罪？年輕人可能連自己都迷迷糊糊的，搞不清楚，他曾多次呼籲社會各界和教育團體要重視這個問題，問題不僅沒見解決，甚至有更加惡化趨勢。媒體譏諷有些官員每天忙著吃銅吃鐵，民間疾苦統統莫宰羊。他很痛心，他曉得痛心沒有用，還是靠自己去努力，做一點，算一點。

二月天，天氣奇寒，他的身體大不如前，怕冷、出虛汗、微微咳嗽，有時會咯出細細血絲，他沒有告訴任何人，他獨自承受著巨大壓力。

聽人家說，大安森林公園是老人天堂，他起了一個大早，到了那裡，才知道他已經來晚了，園內到處盡是老人，迷朦的天邊，浮動著絲絲疊彩重環，繞著幾根五色繽紛的錦帶，在高空中飄盪飛翔，小鳥在枝頭奔馳啁啾，兩旁遍植茂密森林，許多老人躑躅在蒼蒼翠翠樹叢中，有的打太極拳，有的閱讀書報，有的孤獨慢步，有的低聲交談，好不愜意；有的高舉雙手，有著遮掩不住的興奮與滿足。面對面相逢時，都會自然道聲「早安」，少白第一次到這公園，格外有新鮮感，靜坐賞景悠閒自在。

九點鐘過後，碧翠的林木被輕柔的靄陽，塗抹上一層乳白色光輝，另一旁綠綠的小樹，嫩嫩的細草充滿青春氣息。人潮漸漸散去，少白沿著走道走了一圈，在東邊枝葉繁茂的林蔭處，遇到一位C大老教授，他坐在輪椅上，由一名印尼外勞推著走，他看到少白主動向他打招呼：

「多年不見，龔教授好嗎？」

「好，謝謝。」他感到歉意，記不起老教授姓名，含糊地說：「常來這兒？」

「每天都來，退休後，沒事幹，每天都來這兒培養浩然之氣。」他開玩笑說：「希望以後能常看到你。」

「可能性不大。」少白據實相告：「我家離這裡太遠，有時間會儘量到這兒走動走動，這兒空氣真好。」

「就是說啦！多吸一點新鮮空氣，會延年益壽的，至少不會常生病，老了，健康第一。」

「沒有健康，會活得很辛苦。」少白頷首贊同。

「蘇校長，年紀比我還輕，就因為缺乏調養，才會英年早逝，可惜，國失棟樑。」

「蘇校長過世了？」少白焦急的問：「這是幾時的事情?什麼時候公祭？」

「上個月初七。」老教授難過說：「後天上午九點在第一殯儀館開追悼會。」

「我沒有收到訃聞，我會去！」

蘇健治校長——這位德高望重的長者，無論如何都得去上香弔祭。當天，少白到了殯儀館，硬著頭皮進去，打算鞠三個躬，就快快離開，沒想到許多老同事都過來跟他寒喧，他才知道他們沒有嫌棄他，個個友善的接納他。

校長室主任秘書林慕周上來向他問好，他告訴少白：

「蘇校長兩次跟我提起你，說你是天份很高的人才，可惜他沒有辦法用你，感到十分遺憾。所以，推荐你去交通部……」

「我在交通部——」少白還沒有說完，慕周接著說：

「部長跟校長說過，你是自動辭職的，他為你惋惜，他非常欣賞你，你今天來奠祭他，來得很對，也算是沒有辜負他對你的賞識。」

靈堂已開始公祭，他們各自入座。

在殯儀館大門口，他看到那個臉若冰霜，跟他有過親密關係的女教授挽著丈夫的手腕，走過他的面前，冷冷跟他點個頭，就坐進私家轎車絕塵而去，站在他背後的兩個年輕助教正在談論她：

「我如果結婚，一定要娶個像她那樣清純高雅的女人。」

他覺得很好笑，天下著毛毛雨，他低著頭，往6路公車牌走去。

依亭答應柔爾的請求，再度回國幫基金會籌募經費，多年來不斷支出獎學金和扶助費，銀行存款日漸減少。募款晚會由電視台名主持人艾雯主持，會場在大型紀念館舉行，依亭一反常態，在台上唱了二首歌，聲音低沉沙啞，韻味十足，因為她名氣大，掌聲依然滿場。

秋末，氣候日漸清涼，病人常感難以適應，依亭和柔爾坐在少白家飯桌上談心，少白咳嗽聲不斷傳到客廳，依亭站起來想進房去看看少白，柔爾勸她坐下：

「妳最瞭解理事長，他自尊心強，這時候不想見人。」

依亭握著柔爾的手，千言萬語，盡在不語中。依亭從包包中拿出一盒西洋蔘：

「柔爾，有空泡些給理事長進進補。」

柔爾抱著西洋蔘望著依亭，她不知道少白和依亭過節，看到依亭無私無我的犧牲奉獻精神，從心底發出讚佩：

「我們協會多幾個妳，會做得更有聲有色！」

「妳加我，就是一股力量。」依亭望著柔爾：「我們不談這些，妳也過了適婚年齡，該為自己著想，找個伴。」

「婚姻靠緣分，好的看不上我，差的我不要。」她習慣搓著雙手，情不自禁的說：

「我的一生，大概嫁給基金會了。」

「龔教授幸好有妳協助，不然——」

「沒有人不可取代的。」柔爾謙遜說：「從事這個工作以來，我接觸過許許多多貧窮小孩，他們不是想像中那麼消沉，每一個小孩，心中都有夢，就像金恩的夢一樣，站在高高的山崗，實現自己理想。」

「在國外，我也跟很多同樣的小孩子有過接觸，他們同樣有夢，我們應該共同來幫助他們圓夢。」

她們開心擊掌互勉，冷不妨少白已悄悄站在後面：「有妳們兩個大力協助，我的心願必能達成。」他最後兩個字，尚未吐出，整個人就無力地靠到牆壁上，咳嗽聲重敲著她們的心窩，趕緊攙扶他回到屋內去，少白對她們揮揮手，意思是請她們出去。

「下一趟回來，別忘帶先生一塊回來。」

他們互道晚安，依亭趨前抱了抱柔爾，再次叮嚀：「找個伴侶，祝福妳！」

柔爾活了大把年紀，從來未遇到像依亭這樣讓她佩服得五體投地的女孩，溫婉善良，才情橫溢，而且體貼關心別人，她好高興，自己條件平平，能交到依亭，算是三生有幸，依亭要她找個伴，她上那兒去找呢？少白對她像老師也像朋友，她不願多想，只希望少白趕快病好。

柔爾父母已先後去世，父親死於腦溢血，母親心肌梗塞，弟弟到德國留學，娶了一個德國姑娘，定居慕尼黑。父親生前是一家大書局小主管，與人無爭的大好人，母親篤信佛教，他們都很焦急柔爾婚事，替她物色了兩個對象，柔爾都輕易放棄相親機會，她把精力和時間都花在工作上，成了少白實踐理想的最得力推手。

夜晚一陣小雨，洗盡她心頭慵倦的鬱結，帶來幾許清醒，幾許寧謐中的冥想。

關島，這小而美的美軍基地，少白去過九次，他決定再去一次，湊成「十全十美」。他喜歡關島的靜、雅、美，柔爾勸他別去，但拗不過他的執著。這次，他不是單槍匹馬前去，而是參加小型旅行團，成員多是年青人和壯年人，唯有他一個老頭子。台北到關島航班，起飛多在子夜時候，凌晨五點五十分到達目的地，迎著海風，迎著朝陽，心中有說不出的舒暢。

他知道自己不可能再來關島，他一反過去習慣，沒有住在希爾頓飯店，改住靠近杜夢灣（TUMON Bay）市中心的一家小旅館。他沒有跟同行隊友一塊到中部外島潛水，打牙祭。他獨留旅館，中午到一家餐館吃飯，這家小館由一位大陸中年婦人獨資所經營，店面白白的，雅雅的，乾乾淨淨的，女老板燒得一手好菜，色香味俱全，生意哇哇叫。

這天，少白一進餐廳，就覺不對勁，燈光暗淡，沒有一個客人，女老板一看到他這個熟悉老主顧，就一把眼淚一把鼻涕怨嘆：

「你來得正好，月底我們就收攤了。」

「開得好好的，幹嘛不繼續做？」

「說來話長。」她眼淚汪汪的說：「二年前，我有一個好朋友從大陸來關島觀光，店裡生意太好，我一個人忙不過來，就留她下來幫忙，萬萬沒有想到，長得很醜的她，竟然搭上我的老公，老公是美軍軍官，調回華府時，帶著她一塊回去，拋下我孤零零一個人，殺千刀的這個可惡女人，一點不念我們手帕交情。」

少白很同情她，她的故事就像自己當年故事活生生重現銀幕。他說不出半句安慰的話，激憤的催她：

「告他，告他遺棄，向他索討贍養費。」

「我沒有立場，我告不贏。」她說。

「我不懂妳的意思，為什麼？」少白問。

「我們只是同居，沒有婚約。」她燃起一根香煙，吐出圈圈的煙圈：

「在北京認識他的時候，他答應跟我結婚，到了關島，才知道他是二個孩子的爸爸。」

「既然知道他騙妳，何必勉強跟他湊在一起？」

「初來關島人地生疏，我想跟他在一起，至少可以取得一張綠卡或者公民證，結果什麼都沒有得到，反被騙走不少鈔票。」她淒茫地低垂著頭，有太多理不清的悵惘：「我喜歡關島民情風俗，宜人景色，所以，留著不走。」

「你們是諜對諜，仙對仙，只是他比妳段術高明。」少白有意驅走她心中陰影，說著輕鬆的話，女老板也被逗得破啼為笑。

「妳剛剛說，店只開到月底，妳打算去美國？」

「我打算回青島，我的家人都在那邊，我想念家鄉的親人，我想回去。」

「在外飄泊，不如回去的好。這個店租到月底？」

「店租期約在上月底就到期，關島查莫洛人（Chamorro）都很忠厚善良，他們寬限我二個月。我想回國之前，到處逛逛看看，買點本地好吃好穿的東西帶回去。」

「妳很有孝心和人情味，妳父母應該感到很驕傲。我建議，找個本地青年成家，給家人一個驚喜。」

「關島居民不多，外來人底細，他們都查得清清楚楚，像我這樣有過同居記錄女人，他們不會考慮的。」

「妳考慮得比我周到，家裡還有那些人？」

「母親早已過世，父親今年六十七歲，身體還算健朗，愛喝酒、登山、打拳，弟妹各一，大弟已讀中學，活潑可愛，小妹才升小學三年級。」

「趕快回去，免得家人惦念妳。」

少白抬頭看著牆上貼滿的照片，記得當初女老板神氣巴巴指著那張最大照片中那個穿軍裝的帥哥說：

「這就是我的愛人！」

愛人變成仇人，這是可怕事情，更是可怕記憶。他知道，在地球每一角落都有人，有人的地方，就有恩恩怨怨扯不清的故事。往事原如一潭止水，此刻又掀起一泓深淺，他想哭，但卻寂寞地笑了。

女老板說完氣話，少白已過了吃飯時間，他踏出大門口，聽到女老板在背後喊他：

「喂，回來，我炒兩道菜請你吃。」

他裝著沒聽到，往大馬路尾端走去，在右側交叉口，看到一對新人從禮車中走了出來，一看就是來自台灣的年青人，他們頻頻向他微笑點頭，他揮動左手向他們祝福。他意識到，在美好的環境中，人會變成親善多禮。

經過短期靜養，少白的病有了起色，會出去走動走動。

森林公園對少白產生了很大吸引力，他一清早就由柔爾陪著又上那兒去，到了公園才知道他還是晚了一步，公園裡已經有不少老老少少的人，他走了二圈感到腿酸，看見旁邊椅上只坐著一個男人，他就上前坐下，那個男人移動了一下身子，少白不好意思的說道：

「常來這裡？」

「是啊，我們家就在附近。」

「那方便多了！」

「確是方便，我的小孩在附中上學，我的太太在市女中教書，我也在教書，交通車就停在附近。」

「早上一家先到公園吸點新鮮空氣，再去上學教書，真是太棒了。」

「說的也是，我太太天主教徒，她說這是神的旨意，讓我們全家蒙到福份。」

「教書很好，你們夫妻都在教書，對孩子教育有很大幫助。」

「我一直在教書，我現在在──」他從口袋中掏出一張名片遞給少白：「請老先生多指教。」

少白拿著名片一看，上面印著：「B大副教授高尚遷」，這個名字好熟，在那裡見過，但是，他已經記憶模糊，淡淡說：「我喜歡教書，我以前也在教書，我今天忘記帶名片出來，我叫龔少白。」

「龔少白，您是龔少白教授。」他說著從座位站了起來，嚴嚴整整，誠誠篤篤自責：「我真是有眼不識泰山。」他回過頭，喊他正在那邊看人家打極拳的太太：「妳快過來！」

太太走了過來，問他：「什麼事？」

「這就是名望響叮噹的龔少白，龔教授！」

「哦，龔理事長，我先生常常跟我提起您，他好佩服您，他是您的粉絲。」她說：「這個社會真的需要像您這樣的人，社會才能和諧安定。」

「這位是龔夫人？」尚遷看著站在一旁微笑的賈柔爾。

「不是的。」少白趕緊否認：「她是我們基金會秘書長賈柔爾小姐，她幫我很多忙，會裡業務幾乎都是她在掌理。」

「不能這麼說，會裡所有大計方針都是理事長一手策畫，我只是忠實執行他交辦的事務。」柔爾淺淺地笑，笑出兩頰深深的梨渦。

「你們理事長社會地位崇高，聽過他講演，看過他文章的人，都說他了不起。」尚遷低頭看了一下手錶說：「我要去趕交通車，改天再向前輩討教。」

他們一家三口站著向少白恭敬的一鞠躬，尚遷飛也似的跑了出去。

他們走後，少白向柔爾感慨地說：

「真是巧遇，又是一次巧遇！」

黃昏，柔爾陪他漫步在林蔭大道上，夕陽暮影被踩在他的腳底下。少白看著柔爾，又看看飛馳的車輛，他感到時光已不再為他停留，他欠柔爾太多，不是「愛情」的債，而是「友情」的債，這份恩義他還不完，終生也還不完，他輕喟說：

「柔爾，謝謝妳長期以來對我的協助與照顧，基金會沒有妳，就不會有今天的業績。我很感恩，但沒有能力償還這份債務，請妳原諒。」少白停下腳步，從袋子裡掏出一個小巧玲瓏杯子遞給柔爾：

「我買不起貴重東西送妳，這個杯子留作紀念，將來妳喝茶喝水時候，能夠記起我這個老朋友。」

柔爾接過杯子，抱在胸口，緊緊抱著，緊緊抱著，淚水像潰堤的洪流奔瀉而下。

「不要哭，柔爾，人生都會有一個終站，當該下站時候，我們要瀟洒走去。我希望，我的慈善工作有個接棒的人，那就是妳。」

「您不要這樣說，千萬別這樣說，柔爾能夠跟在您身旁，學到太多做人做事的學問。」她擦乾淚水，悲傷說：「您已經多次進出醫院，大夫說，您的生命力堅強，不會出太大狀況的，我要看您好起來，柔爾會照顧您的，我是心甘情願的，您沒有欠我，一點點都沒有欠我。……」

他們坐在馬路的木椅上，晚風裊裊吹來，柔爾脫下外套披在少白肩上。

家裡冷冷清清的，少白獨自坐在客廳，打開電視機，聽到一位男歌星低唱著「初戀女」最後兩句歌詞：「我終日灌溉著薔薇，卻讓幽蘭枯萎」時，他感到有點刺耳，正是他年青時寫照。他關上電視，靜靜回想，這數十年，他是放下屠刀，但沒有成佛，頂多只是做些補過的善事，他一度退回自然的孤獨懷抱，過著隱居靈修日子，為的是要反省他自己和他的生活。他生前滿身的傷痕，但願死後能夠慢慢痊癒。

九月天，氣候忽冷忽熱，難以捉摸，他的身體亮起紅燈。屋裡保持著靜靜的深寂，近將深夜，家中電話鈴大響，他拿起話筒，聽到柔爾悲戚哭聲：

「我，我剛才接到通知，慧靈為了搶救一個小學生，遭一輛轎車輾斃，當場血肉模糊，死得好慘。」

他像遭到雷擊，混身微顫，語不成聲的說：「這樣善良女孩，為什麼死得這樣慘，不公平，太不公平。……」他心中淌著鮮血，滑落一地的悲哀。

慧靈的慘死，有一股淒茫的酸楚湧向他的心頭。好人不長壽，他可以接受；但好人慘死，還有什麼公道？

他的身體已到油盡燈枯時分，他要學蟬，鳴叫不停；他要像蠶，吐盡最後一線絲。他的身體，虛弱到幾乎站都站不穩，他依然好強，不要拐杖，走得慢慢的，慢慢的走。

慧靈在衣櫥小皮箱內預留著一封給少白的信，信內寫得很感人：

少白理事長：

認識您，使我卑微生命有了尊嚴的榮耀。我經常全身酸痛，體內白血球過多，醫生預言我很難長壽，然而，父母恩，姐妹情，朋友愛，使我鼓足勇氣，我告訴自己，我要活下去，活得健健康康的。

在您領導下，基金會發揮了安定力量，您博愛、正直、謙沖、永不屈服的性格感染了我，讓我體認到生命富足，不能輕易放棄自己理想，以及犧牲奉獻精神。

基金會能夠有今天成就，是您引領大家為愛而活的使命感。您的忘我鬥志，令我多次在睡夢中淚濕衣襟，我經過再三考慮，決定在我身後將全部財產捐贈給基金會，以補償我身體殘缺的遺憾。

謝謝您把愛做大、做美、做得生動而有聲有色。您是神的使者，幫助弱者找到希望的亮光。

我永遠是您忠實的門徒，在您身上學習到愛人的真諦。假如每一個人都能像您一樣，這個世界必定完美無缺。

請接受我對您的敬意與祝福，願您與神同在。

慧靈 留書

他看完信，十分感動，感動得欲哭無淚，他很後悔，在慧靈生前沒有跟她好好聊聊。他罵自己，老做後悔的事情，老得快走不動了，還在後悔中過日子。

少白終於悟通一點，慧靈用自己的死，無形中拯救了另一個活著的人，小男孩及其父母、校方代表還到靈堂弔祭，很多事情無法憑直覺去猜斷，慧靈的死，不是完全沒有代價的。少白想到，美國有一個死囚，在入獄前買了一張彩券，意外中了美國第三大巨額獎金，因按美國法律規定，他無福享受，只能看，不准用，這比沒有中獎更難受。慧靈臨死前皈依佛門，功德做得比誰都深。少白想通了這層深奧妙理，很久沒進佛堂的他，卻不自主地唸起：「阿彌陀佛」。

慧靈葬禮後第七天，少白在一家ＫＴＶ門前，看到一群警察攔阻路人通過，一忽，有一輛躺著一個人，上面蓋著一塊灰布單的救護車推了出來，民眾都伸著脖子在叫：

「出來了，出來了。」

「受傷的人是誰呀？」

「不清楚，聽說是兩派黑道火拼，死了一個人。」

民眾圍成弧形的圈圈，抱著看熱鬧心情瞎掰瞎扯。

「聽剛剛從ＫＴＶ出來客人說，好可怕，兩派惡少械鬥，飛鷹幫要角廖天柱遭六個人前後包夾，被行刑式處決，死狀恐怖。」

「這個老大，經常唆使他的嘍囉到我們菜攤收取保護費，一不如意，就砸我們的攤，我的太太好害怕。」人群中一位民眾這樣抱怨。

「他們到處敲詐、勒索、砸車子、揮棒打人，壞透了，死得再慘，我都不會同情他的。」另一位老粗激動地嗆聲。

少白回頭看了他一眼，他生氣說：

「看什麼？你不愛聽，老子偏要講。」

「不是的，你罵得很對，把我心中想說的話都說了出來。」少白禮貌的向他表達善意。

「死得好，死得好，這些蟑螂、垃圾、社會寄生蟲，多死幾個，社會才會太平。」一位婦女可能有點忌諱，邊說邊開溜。

警笛聲鳴叫不停，救護車漸漸駛離現場，維持秩序的警察也慢慢散去，但圍觀民眾依然捨不得離開。

少白沒有高興，也沒有憐憫，心想這些壞人死不完，死了一個，還有很多個。

少白天性敏感，總覺得秋天跟他特別有緣，許多重大事情都在秋天發生，不是最好的，就是最壞的。每年秋天，他總格外謹慎，生怕又出差錯。

秋天，跟往常秋天一樣，他不期待發生任何好事或壞事，他希望平平淡淡度過。然而，這個秋天，他又接到一張新穎別緻的邀請帖子：

深秋時分，玫瑰夜晚，
我倆訂於十二月十二日（星期六）六時四十八分假
淡水仰德大樓第廿九樓A座舉行訂婚典禮
歡迎　你攜伴來分享我們的喜悅。

王漢儒
裴瑞雪　敬邀

少白反反覆覆看了幾遍，由於記憶力漸次衰退，怎麼也想不起這個人是誰，正在遲疑不決時候，來了一對年輕男女，他一看到這個男孩，就記起是參加海外濟貧訪問團團員，那晚檢討會他發表了不少有見地看法，一看就是誠實有為青年。

「團長，這是我的未婚妻裴瑞雪，十二日訂婚舞會，您一定要來。」漢儒指著瑞雪說：「我們會請她的三哥來接您。」

「這太麻煩，我想不去了，在這裡，我先恭喜你們，你們很忙……。」

「不行喲！團長，我們專誠來請您，隊上有幾位隊友也會來參加，他們都很想再見到您，不要讓大家失望。」

少白身體狀況不佳，但感於他們誠意，只好勉強答應。當天到達會場，由整座建築巍峨宏麗大廈的電梯上去，大廳佔地一、二百坪，用純白大理石當壁紙，上面刻著少許精美浮雕，屋頂懸掛著一盞氣派輝煌的吊燈，一看就是豪富的家庭，原來父親是國內排行榜二十名之內的大企業家。

訪問團每個團員都過來跟少白問候，月娟拿著捐款憑證給少白看，少白望著她說：「我相信妳。不過，這種行為可一不可二，凡事想清楚再做，免得做善事還傷了自己。」

在他們交談時，又過來一個年紀較大的女人：「我是漢儒三姐，我弟弟很敬佩您，他說今晚訂婚舞會無論如何要請您來參加。」「這個舞會辦得有格調、華麗又浪漫。」少白誠心讚美。漢儒原先準備請少白說幾句話，少白因丹田無力，聲音幾近沙啞，拒絕了漢儒美意。

舞會進行了一半，四周燈火大放光明，漢儒拿著麥克風認真地說：「今晚，我特別請了一位長輩來參加這個舞會，那就是坐在前面的團長龔少白教授。」少白微微地起身向賓客點了點頭。

漢儒繼續說：「龔團長帶我們到海外去做濟貧救難工作，他個人省吃儉用，卻把錢送給窮困的人。他的一言一語，一舉一動，都讓所有團員肅然起敬。他不居功，不求名，替社會做了最好示範。」漢儒停頓了幾秒又說：「我不否認，我是有錢人子女，可是，龔教授給了我重大啟示：把愛分給別人，愛才會更加圓滿。」

在掌聲中，賓客紛紛過來跟少白握手致敬。少白拍拍漢儒肩膀，什麼話都沒有說。

在臨睡前，他從上衣口袋中掏出漢儒三姐的名片——咸陽股份有限公司副董事長。他想起幾年前，這家相關企業的一個總裁，因財產分配不均，在談判時，遭親弟弟當場持槍擊斃，這個家族慘案，轟動整個社會，漢儒心受重創，打動了他高尚的悲憫心。

社會每一個年齡層都有他獨自的觀感，高中生非常羨慕大學生，在他們眼中，大學生擁有四大優越條件：一、自由；二、睡得飽；三、交朋友；四、好玩。因此，他們想盡辦法要爭取自由，結果因思想和人格都不夠成熟，出現抗壓力不足，頭痛、失眠、疲倦、焦慮等早衰症狀，捅出許多傷天害理事情。當他失去了自由，才恍然大悟，最殘酷的悲哀是失落後的一無所有；最痛苦的羞愧是失足後的眾叛親離。

腦筋靈光，逞強好勝的何嘉仲，因列為茵河案主嫌，被判二年五個月徒刑，他很能適應環境，在獄中表現良好，提早假釋出獄。

父親敦良沒臉再呆在情治單位，就自動申請退休，心情惡劣，很少參加外面應酬，整天愁眉苦臉的呆在家裡。最疼他的母親，也不敢在朋友面前拉風。最無辜的是兩個弟弟，人前人後都沒膽大聲說話。一家人都籠罩在窒息的氛圍裡。

「爸爸，我想……」小仲想向敦良求救：「做點小生意。」

「我沒有你這個兒子，少跟我嘮叨。」敦良痛惡的訓斥他。

「你爸爸心情不好，有話跟我說。」何太太抬頭看了一下敦良的臉說：「你打算做那種生意？」

「我想從小吃店做起，本錢少，不用僱幫手。」

「妳少聽他說廢話。佳蓉，妳不要再上他的當，這個小子，一天到晚盡說騙人的話。」敦良傷透了心，吹鬍子大罵。

「敦良，別氣，別氣，小仲受過教訓，應該扶他一把，讓他站起來。」

「我對他已經沒有信心，你不要再縱容他，毀了我們全家的人。」他說完，就穿上鞋子，大踏步走了出去。

小仲流著慚愧的淚水，越哭越傷心。

「小仲，媽媽最疼你，但是，上次的事情，你真的太過分了，你害父親連工作都沒有了，再有閃失，我也不想活了。你要爭氣，把你的聰明用在正當事情上。」

「請媽媽相信我，我這次一定會改過自新的，絕對不會再混太保。我想開小店，妳要幫幫我的忙。」

「你要多少資金？一個人怎麼開？」

「我會請一位端菜洗碗的雜工，我自己煮麵，我過去在朋友家煮過麵，他們都說很好吃。」小仲天真自信的說。

「開小吃店，看起來很簡單，實際上沒有你想像那樣容易。不過，你有這樣打算，媽媽支持你。」佳蓉心頭猶豫不決，但也不想潑他冷水：「你估算要多少本錢？」

「大約五十萬到壹佰萬。」

「我給你六十萬，這是我僅有的老本，不要隨便亂花。」

小仲真的開起小吃店，僱了一位小女孩當服務生，自己穿著便服，忙裡忙外的勤快工作，生意還不錯，收支能夠平衡。佳蓉有時會到店裡走動走動，給他一點建議，敦良對他還是漠不關心。

當他幹得最起勁時候，有天晚上來了三個小壞蛋，他們點了三碗榨菜肉絲麵，一盤花生米，一盤豬耳朵，一盤海帶絲，大瓶米酒，因為人手不夠，小女孩動作又慢，其中一個小壞蛋把桌子一拍大聲罵道：

「你們開什麼店，三碗肉絲麵要煮一個鐘頭，老子不吃了。」

他們把三盤小菜和烈酒都送進肚裡，想借故開溜，小女孩嚇得愣在一旁，二位食客把錢放在桌上跑了出去，這時小仲從廚房出來，一看都是廖老大過去小跟班，堆著笑臉攀交情：

「都是自己人，我跟你們廖老大是好朋友。」

「廖老大早已上西天報到了，現在是梁老大天下，他喊我們來收保護費。」

「我做的是小本生意，憑過去交情，請手下留情。」小仲低聲下氣懇求。

「少來這一套。」壯壯的小壞蛋推了小仲一把，整碗麵都倒在地上。小仲已失去耐心，把另外一碗也砸在地上：

「你們想幹什麼？少在老子面前耍混混。」

場面完全失控，這個冷面殺手正想從腰間掏出手槍，冷不防遭鄰桌一位武孔有力軍官制止，幸好沒有釀成慘案，小仲從此改頭換面，成了一個殷實小商人。敦良跟少白是舊識，但不常來往。

敦良敬重少白的高潔言行和獨有的人格特質，不定期會到診所找少白談些心裡的話，他對小仲的案件仍在心靈中佩帶著痛苦的傷痕，他拎了一袋椰子餅送給少白，他說：

「我到泰國去，在曼谷郊區馬路上，看到兩旁種著一顆顆椰子樹，樹上垂掛著許多椰子，又大又肥，椰子汁又多又甜，實在好吃。」

少白撕開餅袋，一人各取一片，他邊吃邊問：

「你去過夏威夷？」

「去過，去過二次。」

「你有沒有注意到夏威夷椰子樹上沒有椰子？」

「我注意到，但沒特別關心，什麼原因？」

「多年前，我到夏威夷度假，有一天清晨坐在威基基（YKK）海灘邊椰子樹下乘涼，仰頭一看，發現每一顆長長細細的椰子樹都沒有果實，我很好奇問當地一位好朋友原因何在？」

「據他告訴我，『因為有一年來了一個觀光客，坐在椰子樹下乘涼，一顆結實大椰子凌空而下，剛好擊中這位觀光客，當場腦袋開花，不治身亡。因此，州政府下令砍掉所有椰子果實，免得再生橫禍。』」少白話還沒有說完，敦良就有感插話：

「我想，對於那些無可救藥的壞蛋，最好也像椰果一樣砍盡殺光。」

「砍盡殺光？只是氣話，根本做不到，不如把他們跟社會作適當隔離。」少白提出他的觀點。

他們說得最起勁時候，柔爾走了進來，對他們兩個人說：

「已經中午了，今天我請兩位吃飯。」

「為什麼妳要請客？」少白問。

「今天是好日子，理事長生日。」柔爾神秘地笑著。

「哦？我生日？真是老糊塗，我早忘光了！」少白摸著腦袋瓜。

在餐廳，敦良表情非常僵硬對少白說：

「你的性格太溫和，會吃虧的。」

「我以前性格很暴烈，不是這樣的。在工作經驗中，我領悟到仁慈和寬恕的重要性，我認識太多窮人，他們最需要的就是同情與諒解。」少白閉上眼睛，沉思片刻說：

「愛是超越國界的，人類不應該有性別、階級、種族區分，脾氣好的，脾氣壞的，同樣值得我們去同情、照顧、包容，只要他們快樂，就是我們最好安慰。」

敦良揚了揚酒杯向少白致意，再斟酒，他說：

「我在情報機關服務時，抓到一個不忠嫌犯，我們日以繼夜的勸說他，他都不認罪，等到他死後，我們找到他一份遺書，才知道真的冤枉了他。從此之後，我的性格變得跟你一樣慈悲，長官笑我太軟弱，成不了大事。直到今天為止，我還在不斷思索，人有悲憫之心的好，還是剛烈勇猛的好？」

「幹我們這種工作，一定要有悲憫之心。」少白喝了幾口啤酒，靈感泉湧而出：「悲憫是一種親善的動機，紮根於仁慈的胸襟。悲憫的種子要灑落在生命的泥土裡，才能迸發出高尚而豐富的靈光。多體恤弱者，多扶助別人，多關懷那些無助的失依人，有一天輪到你需要時候，你就曉得『博愛、寬大、尊榮、忠勤』價值。暴烈性格會自食惡果，你已經不是這種人，可能比我還慈悲。」

「比你慈悲是不可能的，但自從發生事故後，我從迷失中找回自己，我告訴自己，不能再做虧心事，多施善行，多走善路，我希望趕快把幾個孩子培植成人，讓我太太脫離痛苦，恢復正常的天倫之樂。」敦良大口乾完滿杯啤酒，醉眼迷濛的呢喃著。

他們在餐館吃了一頓愉快午餐，敦良醉意早已消退，搶著付錢，柔爾不肯：

「你是客人，沒有理由讓你來請。」

「理由可大了。」敦良誠懇表示：「你們終年替大眾服務，我代表這些人向你們致敬。」

敦良也是性情中的人，家庭慘遭重大變故，曾經有過灰暗低潮期，在少白互勉之下，已找到心靈的曙光。

晚年，少白已經沒有自己生活，完完全全奉獻給工作，他變得慈悲、謙遜、喜捨、淡定、忘我而腳踏實地，他會抽空到養老院、孤兒院、婦女教養院等社會救助機構，去了解實際狀況，每年春節的「遊民宴」，他會撥助小額經費共襄盛舉，他把點點滴滴的愛流向窮人的心裡，他不再關心自己身體，只關心那些缺衣缺糧的貧苦大眾，他不是耶穌，不是上帝，只是一個微不足道的小人物。

他的善言善行，逐漸在民間散播開來，大家開始注意他，談論他。他婉拒媒體的專訪，過著儉樸生活，沒有轎車，沒有佣人，每天搭乘公車上下班，擠在公車上，誰都不知道他就是聲名赫赫的「龔大善人」。

七月，秋風初起，落葉飄零，有薄薄涼意。

少白知道自己不久人世，決定上靈白山去看師兄，慕幽已是寺廟方丈，影響力更大，他看到少白孱弱的身體，心有不忍的責怪柔爾：

「師弟這樣身體，還讓他上山來。妳應該通知我下山不就好了。」

「我是這樣想，可是理事長堅持要親自上山看您。」柔爾說出真正原因。

「師弟，你有什麼事情需要我辦的，儘管吩咐。」

「我有三件事，請師兄替我費心。」

「那三件，說說看。」

「第一件，我曾經答應吉安鄉替地方蓋個橋，請從上次勸募的款項中勻支一些，橋落成後，希望以師父法號為名，定名為『弘智橋』」。

「這很有意義，我會儘快去做。」慕幽偏過頭告訴小沙彌：「把它記下。」接著問：「還有呢？」

「每年春節遊民餐宴，溫馨感人，由刘包先生獨自籌措經費，真的很吃力，我想每年由基金會按時捐助，由師兄和柔爾共同視狀況協辦。」

「這都不是問題，此外……」

「此外，請師兄全力協助柔爾定期到海外做濟貧賑災服務工作。」少白娓娓細談他未了心願。

我都會照你的交代去做，少白，我們師兄弟一場，你做善事，我最喜歡，豈會袖手旁觀。好，我們談完公事，談談你自己吧！

「我已經很滿足，沒有什麼好談了。」

「你一心照顧別人，忘記照顧自己。你瞧，你身上短大衣，猜想已穿了十幾二十年了，邊緣都起了裂痕，該買件新衣穿穿了。」慕幽望著柔爾說：「柔爾小姐，替他添購一件吧！」

「我早想替他買一件，但他不——」少白打斷柔爾的話：

「我衣服很多，穿不著，省點錢，多做點功德。」

柔爾別過臉，淚水滑落她的肩上。

慕幽強忍著淚水，臉上依然帶著慣常微笑，雙手合十，低頭唸著：「阿彌陀佛，善哉，善哉。」

少白的義行和美德，贏得社會各界一致的讚佩。在表揚大會上，他穿著從箱底找出來一套舊西裝，配了一條暗紅領帶，滿頭白髮，戴著一副黑色寬邊眼鏡，舉止安逸，不像是個有病的人。他端坐在台下中間第一個位置上，有一個年青人走到他面前，屈著膝對他說：

「理事長，我叫黃德茂，剛從研究所畢業，感謝有您，使我能夠順利完成學業。」

他習慣笑笑，俯下頭，用嘴湊到他的耳邊，低聲在耳畔鼓勵他：「記住，善於耕耘的人，才有豐收的季節。」

這時候，表揚大會正式開始，會場擠滿了貴賓，觀禮人、學生、校長和新聞記者，幾十台攝影機正朝著少白拍攝特寫鏡頭。

他挺著腰桿，不用拐杖，神采奕奕走上台去，八十二歲老人，仍像一個勇士，不改英雄本色。大家起立為他鼓掌，大會金主席推崇他是：「社會楷模，代表著偉大的崇高和壯烈的聖潔，把愛傳遞給全世界，像金門高粱酒，年代愈久愈醇香。」並頒發一面巨大的橫匾：「造福人群」。他簡短致詞，強調「愛不是自私的佔有，而是堅貞的奉獻。」

他不再是年輕時龔少白，他已是徹徹底底改頭換面的龔少白，他突破感情的瓶頸，調整道德的步調，豁出一扇寬廣的天地。他愛世人，更愛那些衣食短缺的善良窮人，他後半生全心全力的耕耘大愛，把愛作了最完美的詮釋。

昔日的時光爬過他滿佈皺紋的乾癟臉龐，他已是垂垂衰老的病人，鬢髮霜白，耳聾齒缺，他不知道還能幫多少人，但他雲淡風輕，意志依然堅強。人生本來就是一場戰鬥，他在這場戰鬥中，表現得勇猛又鎮定。

秋風輕揚，枯葉散落屋角，寒流二度侵襲，死神已向他招手，他已經安排好身後私事，回顧一生過來的路，苦難多於歡樂，荒唐多於安分，他自責、感恩、潛修、贖罪，由自我放逐到自我頓悟，他走得很辛苦。

少白大限已到，一度送進安寧房間，大概還有牽掛，用力跟死神搏鬥，又一度推了出來，家棋、慕幽、孝慈、柔爾、貞寧、敦良、山上師兄弟等十幾人，圍繞他床邊，他的臉很安祥，徐徐睜開眼睛，微笑地望了大家一眼，虛弱地說：「柔爾，培英育幼院急需的捌萬元，趕緊送出去。」柔爾不停點頭，他鬆放了四肢，閉上眼睛，平靜地離開了這紛紛擾擾的人世間。這位傳奇性人物就這樣走了，走了，走到遠遠的地方去。

大家低頭默禱，有人低聲啜泣。

秋天又來到這個世界，帶走少白一串串的憾事，卻留給人們美美的回憶。

少白秋天走了，走時像生前一樣瀟洒，他的影子永遠活在人們心田裡，他的故事永遠講不完。

四天後，依亭好不容易買到機票趕回台灣，由柔爾陪她到新墳憑悼。她們神情凝重，眼含淚珠，滿園的景緻也敵不過幾絲淒寂的秋寒。天下著細雨，她們心中有更多，更多的雨水。她看到墓碑刻著二行大字：

這裡躺著一個人，

生前為社會做了許多感人的善事。

剎那間，柔爾悲不可抑地大哭起來，哭得好傷心，少白走了，她才發現少白在她心目中地位多麼重要，她早就暗戀少白，無奈少白心無雜念，早已關上愛情的窄門，已不再有半寸可容納空間。依亭抓著柔爾的臂膀，再拍拍她的手背，兩個交心的女孩，苦苦的愛著同一個男人。

柔爾在少白遺物中找到他生前唯一的一本存摺，裡面只剩下二千四百二十二元，她凝視著存摺，對少白多了一份敬意與懷思。思念起，思念起，多多少少，點點滴滴的往事，散落滿地相思。她不是多愁善感的女人，但對少白滿懷著思念，扛著一身的記憶，止不住心頭的愴楚。

宋孝莊因經商失敗，鬱抑早逝，欠了一屁股的債。依亭多少受到一些牽累，她孑然一身，老了多病，落葉歸根，返台住進養老院。有一天，柔爾帶著一群小朋友到養老院慰勞阿公阿嬤，才知道依亭孤孤單單地住在這兒，她們相擁大哭，柔爾堅決要依亭搬到她的家去住，可以相伴聊天，比較不會寂寞。人生起起落落，禍福無常，誰比誰幸福，沒有定數，兩個同樣愛上少白的女人，命運大不同，少白泉下有知，必定感到羞愧，他曾經是大眾情人，卻把愛情處理得雜亂無章，他有心贖罪，可惜早已鑄成難以補償的遺痕。

人老了，惜珍友情，依亭在柔爾家一住就是三年三個月十一天，她因久病去世，臨終前，緊握著柔爾的手說出發自腑肺的話：

「我一生交過不少朋友，妳是我最好最好的一個。老實說，我以前太自負，沒把妳看在眼裡，相處多年，我才感悟到，妳給我的友情，最多也最珍貴。這三年來，妳真心真意的照顧一個老病人，讓我好感動。」她稍作停頓，倏地移開視線說：「請妳把我放在櫥櫃上層的黑皮箱拿過來，這個皮箱請妳留作紀念。」

她喘一口氣，混身抽搐一、二秒，接著說：

「這些年，我白吃白住，妳沒有收我一毛錢，我欠妳太多，我身邊沒有一塊現金，只剩一些歐美股票，我要贈送給妳，留作紀念。」

「依亭，妳這樣說，就太見外，我一直很佩服妳，也很欣賞妳，交妳這個朋友，是我福氣。好朋友，幹嘛還斤斤計較？」

辦完喪事，整理依亭遺物，打開黑箱子，她嚇了一大跳，原來是厚厚一疊歐美股票，後來經過專家鑑定估算，約值美金捌拾萬元，她好感動，知道依亭是性情中人，重友誼，講義氣，回饋她這樣厚重禮物，她決定設立獎助金，拿來救助更多貧困上進的孩子，善有善報，如有未報，只是時間未到而已。她深信佛經裡一句話：「心懷邪惡的人，終究會招致惡果。」

在這瑟瑟的晚秋，她靜坐小屋，心涼似水，勾起無邊思念，她彷彿看到遙遠的天籟那顆閃爍的星星，距離得那麼遙遠，那樣縹緲，那樣不可企及，但是，她好像看到少白，縱使迷濛的眼神，依然有一股強烈的悸動。偶爾，聽到落葉觸地聲音，她知道，落葉不會重新回到枝頭，她要從悲痛中擠出力量。

晚秋散落著蕭殺的寒意，在靠近黃昏的時分，有著更多岑寂的淒清。大家都以為柔爾是樂觀的人，誰都料想不到她心裡卻深藏著一顆哭泣的心靈，她跟少白朝夕相處，突然看不到他的影子，有一種抖不盡的哀傷和網不住凋零的虛脫感。她還沒有辦法去想，往後的歲月裡，她該扮演什麼樣角色。

秋風又起，又是一個思念的季節。

柔爾站在小小的辦公室內，舉頭望著牆上懸掛的橫匾中四個大字「造福人群」，她覺得少白此生沒有白來這個世界，他替窮人做了很多有意義事情。此刻，天上的他一定開心在笑，笑的很開心，很開心。她決定不離開這個工作崗位，她要繼續完成少白未了的心願。

風靜靜的吹，吹得紗窗沙沙作響，她彷彿看到一群皮膚黝黑的柬埔寨小孩，赤著腳，光著頭，唱著動人的山歌，好可愛，好可愛，她笑了，笑得像天上少白一樣，好開心，好開心。

晚風捲走了殘花衰葉，晨曦在大地懷抱裡灑滿了明燦金光，校園又響起悠揚的鐘聲。